Fabio Volo

UNA VITA NUOVA

MONDADORI

Dello stesso autore
in edizione Mondadori

Esco a fare due passi
È una vita che ti aspetto
Un posto nel mondo
Il giorno in più
Il tempo che vorrei
Le prime luci del mattino
La strada verso casa
È tutta vita
A cosa servono i desideri
Quando tutto inizia
Una gran voglia di vivere

I versi della canzone citata a p. 7: *Un'altra vita*, testo di Franco Battiato, musica di Franco Battiato e Giusto Pio © 1983 by EMI Music Publishing Italia Srl. Tutti i diritti riservati per tutti i Paesi. Riprodotto per gentile concessione di Hal Leonard Europe Srl obo EMI Music Publishing Italia Srl

librimondadori.it

Una vita nuova
di Fabio Volo

ISBN 978-88-04-74123-7

Una vita nuova

Agli attimi di leggerezza

Sulle strade al mattino il troppo traffico mi sfianca
mi innervosiscono i semafori e gli stop
e la sera ritorno con malesseri speciali
non servono tranquillanti o terapie
ci vuole un'altra vita.

FRANCO BATTIATO, Un'altra vita

Mio padre l'ho amato da subito, era il mio gigante buono.

Un giorno da bambino gli ho chiesto di volare per me, mi ha risposto che non sapeva farlo. Ero convinto che si sbagliasse.

Nella vita poi ha preferito camminare lento, forse era il passo più adatto al suo sguardo triste, ai suoi occhi buoni, ai suoi silenzi.

Era fatto di silenzi che non sono mai riuscito a interpretare, mio padre era le cose che non diceva.

Mi sono chiesto più volte cosa non si fosse perdonato. Si è tenuto tutto dentro, il dolore, la vita, le parole che volevo sentire.

La cosa di lui che ho amato di più è la dolcezza che teneva nascosta: quando sorrideva si squarciava il cielo, come un arcobaleno dopo la pioggia, e subito arrivava il pudore.

1

«Paolo, domani mattina posso venire da te a farmi una sega?»

Sono rimasto in silenzio.

«Ho l'esame dello sperma e devo tassativamente consegnarlo entro quaranta minuti dalla...»

«E allora?»

Rientravo dal lavoro, avevo avuto una giornata complicata e non ci tenevo a sapere tutti i dettagli.

«Non mi va di masturbarmi in una stanzetta asettica e triste, ma da casa mia alla clinica ci vuole almeno un'ora, e i miei poveri spermatozoi morirebbero in auto, una strage che non mi sento di affrontare. Invece tu sei praticamente attaccato.»

Il fatto che per Andrea fosse del tutto normale masturbarsi in casa mia mi metteva a disagio. Fosse stata la casa dove abitavo da ragazzo lo avrei capito, ma con una moglie e un figlio di sei anni era diverso.

Da mesi lui e Marina stavano cercando di avere un bambino.

«Forse il problema sono io» ha detto prima di esplodere in una risata nervosa.

Ho capito in quel momento quanto la cosa fosse seria per lui.

«Che ironia se fossi sterile. Una vita di spaventi e salti del giaguaro all'ultimo secondo.»

Quando avevamo poco più di vent'anni, era finito con una nel parcheggio dell'Altaluna, una discoteca dove andavamo sempre. Dopo un paio di settimane, lei lo aveva cercato: era in ritardo di dieci giorni. Andrea era venuto di corsa a citofonarmi, la faccia bianca come un lenzuolo, gli occhi spiritati, non lo avevo mai visto così.

Si era seduto sul mio letto e con le mani sulla faccia diceva: «Di solito è precisa e puntuale come un orologio svizzero, capisci? Un orologio svizzero. Sono un uomo morto. La mia vita è finita. È un orologio svizzero, cazzo, un orologio svizzero e adesso invece non le vengono da dieci giorni».

Continuava a ripetere quella cosa dell'orologio svizzero, rido ogni volta che ci penso.

«Ok, domattina da me, sono contento di darti una mano» gli ho detto alla fine, quando ormai ero arrivato e mi guardavo in giro per cercare un parcheggio.

«Mi basta la casa, per la mano faccio da solo.»

Ho riso.

Appena dentro, Tommaso mi è venuto incontro. Avrei voluto prenderlo in braccio, lanciarlo sul divano e giocare alla lotta, poi ho pensato ad Alice, a quando mi chiede di non farlo perché altrimenti lo agito e dopo lei ci mette un secolo a addormentarlo.

In realtà ho sempre pensato che ci fosse dell'altro: le pesa dover essere quella che gli dice i "no", mentre io mi prendo il ruolo del supereroe, con cui si gioca, si scherza e si può fare tutto, anche saltare sul divano.

Per la storia dei "no" discutiamo spesso, con Tommaso mi vorrebbe più autoritario e meno complice.

Mentre caricava la lavastoviglie, ho accennato al fatto che la mattina seguente Andrea sarebbe passato per fare colazione. Volevo dirle la verità, poi all'ultimo istintivamente ho mentito, m'imbarazzava spiegarle il motivo vero.

Subito ha ribattuto che la settimana dopo sarebbe andata dai suoi qualche giorno e avrebbe portato Tommaso, facendogli perdere la scuola. È stato come pareggiare un conto: l'invasione mattutina di Andrea per tre giorni di assenza di Tommaso, senza nemmeno consultarmi. Eravamo dentro una crisi profonda e ogni cosa era territorio di trattative, baratti, ripicche.

La sera, quando mi sono sdraiato nel letto, Alice già dormiva. Mi sono chiesto chi fosse e cosa provassi ancora per lei.

Poi mi sono ricordato di Andrea, che nel giro di poche ore sarebbe venuto a masturbarsi da noi.

Da ragazzini eravamo finiti a una festa a casa di un compagno. Andrea era andato in bagno, sulla maniglia della porta erano appese delle mutande femminili. Non aveva resistito, le aveva prese e annusate. Mentre se le teneva sotto il naso, aveva iniziato a masturbarsi.

La madre era entrata all'improvviso e se l'era ritrovato di fronte. L'aveva subito cacciato dalla festa, e me con lui.

Mentre per strada gli ripetevo che era un idiota,

si era fermato e mi aveva detto: «Paolo, forse non hai capito. Le mutande non erano fresche di bucato, erano usate. Che cazzo potevo farci?».

Ero scoppiato a ridere.

Prima di addormentarmi, sono andato in bagno a togliere dal cesto la biancheria sporca di Alice.

2

«Il papà deve firmare dei documenti per quel vecchio conto da chiudere, passo stasera?» ho chiesto a mia madre mentre andavo al lavoro.

«Vieni a pranzo, faccio le polpette.»

Di solito non ho tempo per pranzare, quella mattina mi era saltato un appuntamento e ho accettato. Mi è sembrato che fosse domenica.

Quando sono arrivato dai miei ho citofonato, nessuna risposta. Ho riprovato, silenzio. Per un attimo mi ha preso alla gola il pensiero che si fossero sentiti male.

«Abbiamo fatto tardi al supermercato, e poi siamo venuti dalla zia» ha detto mia madre candidamente quando l'ho chiamata. «Aspetta che te la passo, così la saluti.»

Lo fa spesso: passarmi al telefono le persone con cui si trova, anche se sono estranei. Niente m'infastidisce più di quello strano vizio, non so mai cosa dire.

«Devo rientrare al lavoro, vi lascio i documenti sul tavolo.»

Di tempo ne avevo, volevo farle pesare il ritardo. Non andavo mai a pranzo da loro in settimana, e se n'erano andati in giro non facendosi trovare. Mi avevano fatto sentire poco importante e non ne capivo la ragione. Avevo smesso da tempo di cercare un senso al comportamento di quelle due persone in pensione.

«Puoi entrare e mangiare, è già tutto pronto, devi solo dare una scaldata» ha cercato di rimediare mia madre, ero riuscito a farla sentire in colpa.

Ho usato le chiavi che mi aveva dato lei un paio di anni prima. «Magari un giorno ci succede qualcosa e rimaniamo chiusi dentro.»

Non poteva semplicemente dirmi che le faceva piacere le avessi o che la faceva stare più tranquilla. Doveva prefigurare che avrei potuto trovarli sdraiati sul pavimento della cucina, morti.

Quando glielo avevo fatto notare, aveva risposto subito: «Sono solo una persona che pensa in anticipo alle cose. Sai quante ne succedono ogni giorno».

Lei non era pessimista, era realista. Non era tragica, era lungimirante. Era attenta, non ansiosa. Ed era sempre stata così, solo che con gli anni era peggiorata.

Qualche estate prima, avevo affittato una casa al mare con una piccola piscina. Seduto in giardino, guardavo Alice e Tommaso che giocavano e ridevano in acqua. Il sole era basso, il cielo iniziava a farsi di un blu più intenso, l'erba scintillava di un verde acceso, intorno sfrecciavano degli uccellini, tutto era perfetto.

Ho pensato ai miei genitori, mi sarebbe piaciuto averli con me in tutta quella bellezza. Ho preso il telefono con il desiderio di condividere quel momento magico.

Le prime parole di mia madre sono state: «Stai attento a quella piscina, sai quanti bambini annegano? È un attimo, non ci vuole niente. L'altro giorno al telegiornale parlavano di un bambino di tre anni che è caduto in acqua ed è morto».

Ho guardato Tommaso che nuotava con i braccioli, in un secondo ho visto il suo corpicino a galla privo di vita. Un'immagine che mi ha accompagnato per tutta la vacanza, e di cui avrei fatto volentieri a meno.

Mia madre aveva cancellato tutta la magia: il cielo era scuro, il prato marrone, gli uccellini erano diventati dei corvi. Ho sentito l'ansia salire, come se ci fosse una catastrofe imminente.

Ora le catastrofi riguardano sempre Tommaso, mentre prima erano per me e mio fratello Nicola.

Quando andavo in bicicletta dovevo stare attento a non farmi investire, se partivo per la montagna a non cadere dai precipizi, se c'era la neve alle valanghe. Per un concerto in un palazzetto è riuscita a dirmi: «Stai almeno vicino alle uscite di sicurezza». Quando mi sono comprato la Vespa: «Te le vai proprio a cercare».

Potrei elencare all'infinito cose che non ho fatto per le preoccupazioni di mia madre. Oggi non ho nemmeno più bisogno che sia lei a mettermi ansia, la sua voce vive dentro la mia testa. Il suo programma pessimismo-fastidio-paura è perfettamente installato nel mio cervello e opera in autonomia.

A volte lo uso anche con Tommaso, soprattutto quando era più piccolo: in ogni spigolo, in ogni gradino, in ogni gioco al parco vedevo sangue e danni irreversibili.

Nel tempo l'ansia di mia madre è mutata come un virus, nella mia testa si è installata in una nuova versione 2.0 che entra in azione solo per lo svago e il divertimento.

Se manco da casa per lavoro tutto normale, se manco perché sono in montagna a sciare con degli amici, penso subito che morirò, non vedrò mai più Alice e Tommaso dovrà crescere senza un padre.

Sono entrato e ho detto: «Ciao», per assicurarmi che in casa non ci fosse davvero nessuno.

3

Era la prima volta che mi trovavo a casa dei miei genitori in loro assenza, provavo uno strano pudore. Non capivo quanto fosse lecito guardare tra le loro cose, sbirciare e curiosare. Avrei voluto aprire ogni cassetto.

Anche da bambino amavo farlo, forse era il desiderio di un'intimità più profonda con le persone che amiamo.

Ho aperto l'armadio di mia madre, era pieno di vestiti mai indossati, senza un destino. Come la vita che le era passata davanti senza che succedesse veramente qualcosa, occasioni speciali e momenti unici. E, anche se ci fossero stati, lei si sarebbe vestita con le solite quattro cose.

In bagno, mentre mi lavavo le mani, ho guardato il portasaponette che era lì da sempre, azzurro, in gomma, con piccole ventose simili a quelle dei polpi. La loro casa aveva resistito al tempo, come un museo in cui ogni cosa era conservata alla perfezione, tanto che all'improvviso mi è sembrato di vederci seduti al tavolo tutti e quattro insieme, come mille volte in passato. Gli anni in cui ero bambino e vivevo in un mondo più lento, e senza paure.

Mi sono avventurato nello studio di mio padre, dalle pareti aveva tolto tutte le foto di famiglia, quelle del matrimonio, della nascita mia e di Nicola, del primo giorno di scuola, della Cresima. Erano state tutte rimpiazzate dalle foto di una Fiat 850 spider, una due posti rossa con una capote nera di tela. La si poteva vedere in diversi momenti, luoghi, angolature. Mio padre l'aveva comprata prima di conoscere mia madre e l'aveva tenuta per anni. Con quell'auto passava a prenderla quando erano fidanzati, con quell'auto avevano fatto la luna di miele.

Quando siamo arrivati io e mio fratello, l'auto era diventata stretta e mia madre aveva insistito perché la vendesse per comprarne una più adatta alla famiglia. Alla fine, dopo qualche anno, a malincuore lui aveva ceduto. Aveva continuato ad amarla e ricordarla. Raccontava di viaggi che aveva fatto con la spider, ne parlava come se fossero avventure ai limiti dell'esplorazione, come se ci avesse scoperto l'America.

Quando sentivo le sue storie cercavo di immaginarle, ma sapevo che non sarei mai riuscito a conoscerle davvero. Un figlio non potrà mai sapere chi erano i propri genitori prima che diventassero genitori.

Di lui ho sempre saputo che si prendeva più cura della spider che di me e Nicola. Ricordo che una sera dei ragazzi chiacchieravano per strada e uno di loro si era appoggiato al cofano. Dalla finestra mio padre gli aveva urlato che non era una poltrona. Avevo appena sei anni, era la prima volta che gli sentivo alzare la voce, ed era stato per la spider. Se la sarebbe portata in casa, se avesse potuto.

Quando eravamo bambini, mio padre era sempre presente, fisicamente. Non ricordo una cena in cui non fosse seduto al suo posto. In realtà si portava dietro un senso di estraneità a tutti, come se fosse sempre un passo indietro, distante.

Ogni volta che mi voltavo verso di lui, non trovavo mai il suo sguardo.

Ma quando mi portava con sé sulla spider era felicità pura, intensa.

Mi bastava guardare quelle foto per sentirla tutta di nuovo, intatta come allora.

Poi, qualcuno ha fatto girare le chiavi nella toppa.

4

Mentre pranzavamo ho chiesto a mia madre una fotocopia della carta d'identità di mio padre, mi serviva per la banca. Gliene avevo portate una scorta qualche settimana prima, mi ha guardato e ho capito al volo. Le ho lasciato il gusto di mettere in scena la ricerca della fotocopia, ha aperto cassetti, frugato dentro scatole, ma non è saltato fuori niente.

«Sei sicuro di avermele date?»

Le aveva buttate, come aveva sempre fatto nella sua vita: buttare le cose degli altri. Quando glielo si faceva notare, negava; solo una volta aveva ammesso che, se non avesse fatto così, ci saremmo trovati sommersi da robe inutili. «Saremmo pieni di carte e cianfrusaglie che fanno polvere» aveva detto.

Ha sempre deciso lei cosa fosse utile e cosa no, soprattutto riguardo a mio padre. Lui invece non si è mai permesso di buttare nulla che appartenesse ad altri senza il loro consenso.

Capisco bene la sua voglia di liberarsi delle cose,

dà la sensazione di fare pulizia, chiarezza. A me capita con il cibo, quando nella credenza ci sono delle confezioni con tre biscotti oppure nel frigo una busta di prosciutto con due fette, finisco tutto anche se non ho fame, solo per il gusto di accartocciare e liberare spazio, fare ordine. Sono sicuro di avere ereditato da lei questa mania.

«Mi accompagni a fare una passeggiata nel boschetto?» La voce di mio padre mi ha strappato da quei pensieri. Il boschetto è un piccolo parco con alberi bellissimi, che sta dietro casa. L'abbiamo sempre chiamato così, da quando io e Nicola andavamo a giocarci dopo la scuola.

Sarei dovuto tornare in ufficio a sbrigare alcune pratiche fastidiose, avrei fatto tardi e mi sarei perso la cena con Alice e Tommaso, però era da tempo che non stavo con mio padre da solo. Ho deciso che ne valeva la pena.

Camminavamo tra gli alberi alti, frondosi, e non ho resistito: «Ho visto le foto appese in studio, quelle della spider». Volevo sapere perché avesse tolto le nostre.

«Hai visto che meraviglia?» L'ho guardato e lui ha aggiunto: «Sono stati gli anni più belli della mia vita».

Ho sentito una stretta alla bocca dello stomaco, mi aspettavo altre parole, ma non ho detto nulla, come sempre.

«Mi è costato molto venderla.» Ha aspettato qualche secondo prima di aggiungere: «Ma così è la vita».

La tristezza e la resa nella sua voce erano talmente profonde che mi hanno trapassato come una lama.

«Avevo anche segnato su un quaderno tutti i po-

23

sti dove ero stato con quell'auto, una specie di diario di bordo. Non lo trovo più.»

Ho pensato a mia madre, e forse anche lui, ma non abbiamo parlato. Con lei sarebbe stata una battaglia persa in partenza.

Per una vita avevo cercato un'intimità con lui e, ora che desiderava aprirsi, provavo un imbarazzo incontrollabile. Vedevo il suo desiderio di avvicinarsi a me e al tempo stesso l'incapacità di farlo. Era impacciato, goffo. E non lo sapevo aiutare perché mi sentivo nello stesso modo.

Aveva fatto una vita di fatica e tribolazioni, e da quando era andato in pensione si era spento. Non era solo perché era invecchiato, sembrava che le difficoltà lo avessero tenuto acceso e adesso, senza ostacoli, non sapesse più come vivere.

Stavamo tornando a casa, ero avanti di qualche passo e all'improvviso è caduto, ha sbattuto il viso sulla radice sporgente di un albero e si è tagliato il naso. Ha iniziato a perdere sangue.

«Papà!» ho gridato mentre lo aiutavo a rialzarsi, non capivo se avesse perso l'equilibrio o se fosse inciampato.

«Sto bene» ha farfugliato, era confuso, forse più per lo spavento che per la botta.

Mi sono accorto che non riusciva ad appoggiare il piede sinistro: «Riesci a muovere la caviglia?».

Ci ha provato e gli è venuta una smorfia di dolore.

L'ho aiutato a sedersi su una roccia, ho controllato la caviglia, era già gonfia, poteva essere contusa o anche rotta.

Intorno non c'era anima viva. Dal naso continuava a uscirgli sangue e non avevo nemmeno un fazzoletto. Allora mi sono tolto la camicia e l'ho usata per tamponare. Era una situazione assurda: lui con il sangue che gli andava dappertutto e io a petto nudo che cercavo di capire cosa fare.

Ho chiamato mia madre, che ha voluto subito parlare con lui. Mentre cercava di tranquillizzarla, lo osservavo tenendogli una mano sulla spalla. Mi ha fatto una tenerezza mai provata prima. C'è sempre stato un che di fragile in lui, lo vedevo già da bambino, anche se non sapevo dargli un nome. In quegli occhi spaventati si leggeva la storia della sua vita.

«Vieni, ti prendo sulla schiena e ti porto a casa.» È stato un gesto istintivo e avventato, saremmo potuti cadere entrambi e farci male in due. «Sono più forte di quello che credi.» Non sapevo se lo avessi detto a lui o a me.

«Lo so che sei forte, lo sei sempre stato.» L'ho guardato, era strano per lui parlare così apertamente, ho pensato fosse sotto choc per lo spavento.

Caricarmelo sulle spalle non è stato facile, era più pesante di quanto avessi immaginato, ma non sarei tornato indietro per niente al mondo. Portarlo sulla schiena era diventata un'occasione per farlo sentire fiero di me.

Mentre sudavo e arrancavo sotto il suo peso, ha sussurrato: «Perdonami Paolo, perdonami». Mi sono chiesto se l'avesse detto davvero, se non fosse stata la fatica a farmi sentire qualcosa che non c'era: mio padre non mi chiamava mai per nome, e la parola "perdono" non era da lui. Non ho avuto il coraggio di chiedergli niente.

Quando siamo arrivati sotto casa mia madre ci è

venuta incontro con un bicchiere d'acqua. Appena ha visto il sangue, è sbiancata.

«Non è niente, mamma, stai tranquilla» l'ho rassicurata, se ne stava lì in piedi con il bicchiere in mano. «Piuttosto, aiutami ad aprire la porta.»

Una volta in bagno lo abbiamo pulito, asciugato e disinfettato. Il taglio era meno profondo di quanto pensassi, con un cerotto sarebbe andato a posto.

Mio padre tremava, avrei voluto abbracciarlo ma non ci sono riuscito. Quando so che basterebbe un abbraccio, fatico, mi blocco, mi sento impacciato. Solo con Tommaso riesco a essere naturale.

Ci siamo cambiati, ho chiamato l'ufficio dicendo che non sarei tornato e l'ho portato al pronto soccorso.

Seduti in sala d'aspetto, mio padre mi ha detto, come se fosse la cosa più normale del mondo: «Non è la prima volta che mi capita. Sono caduto altre due volte, in casa. Forse sto invecchiando troppo».

Seduto nella sedia a rotelle mi è sembrato improvvisamente piccolo. Le sue mani, appoggiate sulle ginocchia, erano nodose e magre.

La visita dell'ortopedico è stata veloce e risolutiva: lieve distorsione alla caviglia, fasciatura rigida per una decina di giorni e analgesici all'occorrenza. L'avrebbe rivisto per togliergli la fasciatura e fare un controllo. Non ho pensato di chiedergli niente sul motivo per cui fosse caduto, mio padre era perfettamente lucido e in sé.

Quando siamo tornati a casa, l'ho accomodato sul divano, mia madre aveva già pensato alle stampelle e ad altri piccoli accorgimenti. Tutto era tornato nell'ordine delle cose.

«Allora vado tranquillo?»

«Certo, tranquillissimo, noi siamo a posto» ha risposto mia madre mentre mio padre trafficava con il telecomando. Lei ci ha guardato con gli occhi di chi lo sapeva che sarebbe finita così, con quella passeggiata ce l'eravamo andata a cercare.

Mentre facevo le scale, mi sono fermato di colpo e sono tornato indietro.

«Ho dimenticato una cosa» ho detto a mia madre quando mi ha riaperto la porta stupita. Sono andato dritto nello studio, senza troppe spiegazioni. Volevo fargli una sorpresa.

5

"Forse posso ritrovarla e riportarla a mio padre."

Appena il pensiero mi ha attraversato la mente, ho avuto la pelle d'oca. Ho sentito che era la cosa giusta da fare, sarebbe stato come riparare un torto.

Avevo il numero di targa, pensavo che la ricerca sarebbe stata lunga, che avrei dovuto navigare in rete per ore e fare diverse telefonate, invece sono risalito facilmente al nuovo proprietario: la Fiat 850 spider di mio padre apparteneva a Leuzzi Antonio, Ceglie Messapica, in provincia di Brindisi. L'unico numero di telefono che corrispondeva al nome e al luogo risultava essere un bar, il bar Zodiaco.

L'idea di ritrovare l'auto mi elettrizzava e allo stesso tempo mi sembrava che fosse stato tutto troppo facile e che sicuramente qualcosa sarebbe andato storto. Fantasticavo sul fatto che l'auto fosse in buone condizioni e che il proprietario accettasse di vendermela.

Ho chiamato subito il bar Zodiaco dall'ufficio, dopo aver sbrigato le cose più urgenti. Il telefono squillava a vuoto e, mentre già stavo riattaccando pensando di aver fatto un buco nell'acqua, ha risposto un ragazzo: «Bar Zodiaco».

«Buongiorno, sto cercando il signor Antonio.»

«È mio padre, ora non c'è, può dire a me se vuole.»

«Mi chiamo Paolo Buelli, chiamo da Milano, volevo sapere se suo padre è ancora in possesso di una Fiat 850 spider.»

«Perché vuole saperlo?»

«Perché sarei interessato a comprarla.»

«Mio padre torna tra un paio d'ore, però la macchina non è in vendita. La devo salutare, sono solo al bar e ho gente.»

«Allora chiamo tra un paio d'ore.»

Naturalmente avevo già controllato la valutazione, e il prezzo variava, in base anche alle condizioni, tra i tredici e i sedicimila euro. Se davvero non la voleva vendere forse con un'offerta più alta avrebbe accettato e io potevo permettermela, da quando mi avevano fatto responsabile *distribution* di tutta la mia area.

Ho lasciato passare tre ore abbondanti prima di richiamare, per non far sentire quanto fossi interessato all'auto.

Questa volta mi ha risposto Antonio Leuzzi in persona. Il figlio gli aveva già accennato alla mia telefonata: «L'auto è in ottime condizioni, sia di carrozzeria che di motore, ma non è in vendita».

Saperla in salute mi ha fatto piacere, ora dovevo solo convincerlo a vendermela. Prima che provassi a fargli un'offerta, con tono gentile ha aggiunto:

«Non è un modello difficile da trovare. Di sicuro ne trova una uguale anche lì su da voi».

Ho esitato, se gli avessi detto la verità, mi avrebbe indebolito in una eventuale trattativa: «È sicuro che non sia in vendita? Nemmeno se le faccio un'offerta più alta?».

«Non è per i soldi, non so nemmeno quanto vale. Un ragazzo qui in paese mi ha detto che potrei venderla per tredicimila euro, non so se sia vero, non mi sono mai informato.»

«Se l'auto è in buone condizioni, la cifra è più o meno quella. Io posso arrivare anche a quindici.» Ho fatto una pausa. «Che dice?»

«La ringrazio, ma davvero non è in vendita.»

A quel punto dire il vero motivo per cui la volevo era rimasta l'unica possibilità, così ho spiegato a quello sconosciuto che desideravo fare una sorpresa a mio padre, restituirgli una cosa a cui aveva dovuto rinunciare.

Ho esagerato sul finale, forse sono stato anche patetico. Leuzzi ha ascoltato in silenzio e alla fine ha detto: «Lei è un bravo figlio. Se un giorno deciderò di venderla, sarà il primo a saperlo».

Ho chiuso la conversazione ed ero a terra. Da quando mi era balenata quest'idea, avevo fantasticato su ogni dettaglio, senza risparmiarmi: la faccia di mio padre nel rivedere la sua auto dopo quarant'anni, lui che si metteva alla guida e mi portava a fare un giro come quando ero bambino. Forse sarei riuscito anche a ritrovare le sensazioni antiche a cui ero così affezionato. Mi ero commosso nell'immaginare tutto quanto.

Non volevo arrendermi e ne ho cercata una simile

in rete, ma più ci pensavo, più capivo che non aveva senso. O la sua, o niente.

A malincuore ho abbandonato l'idea. Peccato, sarebbe stata una bella storia.

6

«Mi sono sempre sentita invisibile.»

Eravamo in cucina da soli, e mentre sistemavamo i resti della cena se n'era uscita con quella frase. Da settimane cercavo di capire perché le cose tra noi non avevano funzionato.

Avevo fatto fatica ad accettare la nostra nuova situazione, ma Alice aveva insistito perché restassimo sotto lo stesso tetto, le sembrava l'unico modo di poter mettere le carte in tavola. È nel suo carattere, non ama le mezze misure, le cose ambigue, sospese, confuse. Non ama lasciare spazio alle interpretazioni, affronta sempre tutto di petto. Alice ama dare il nome alle cose.

A differenza sua io preferivo non affrontare le questioni, sperando che così si sistemassero da sole. Se nomini una cosa la fai diventare reale, ingombrante.

Già un anno prima avevo avuto la sensazione che mi stesse per lasciare. Non c'erano state grosse discussioni e non è mai un buon segno non litigare.

Spesso è la conseguenza di quando si è così delusi e amareggiati che non si ha più nemmeno voglia di lottare. Come se si fosse persa ogni speranza. Alice era assente, silenziosa, rassegnata. Faceva tutto quello che aveva sempre fatto ma non mi cercava più, non voleva la mia complicità, non condivideva più le sue cose con me.

Una sera a letto, la mia paura si era fatta spazio tra i silenzi: «Mi vuoi lasciare?».

Senza nemmeno guardarmi, in modo secco, aveva risposto: «No», e non aveva aggiunto altro.

Mi aspettavo della sorpresa da parte sua, delle argomentazioni, delle domande sul perché glielo avessi chiesto. Invece niente. La sua risposta mi aveva agitato ancora di più e aveva rafforzato i miei dubbi.

Era passato un anno da quel "no" e adesso ci ritrovavamo separati in casa.

Quando mi ha detto che si sentiva invisibile, ho lasciato cadere le sue parole nel vuoto, ma non è bastato.

Dopo aver messo a letto Tommaso, si è affacciata sulla porta del mio studio: «Paolo, dobbiamo parlare».

Non mi sono voltato, nella speranza che lei lasciasse perdere.

«Puoi smettere di lavorare?» ha chiesto, e ha annientato in un istante il mio tentativo un po' infantile.

L'ho guardata, si è presa qualche secondo e poi ha detto: «Non posso più andare avanti così».

Ho avuto paura che fossimo arrivati al punto, non ricordo se in tutto il corpo ho sentito freddo o caldo, sono andato subito nel pallone.

Mi guardava senza dire una parola, sembrava decisa: «Ho bisogno di un uomo che smetta di scappare e di nascondere la testa sotto la sabbia».

Non rispondevo e allora lei ha continuato: «Perché sul lavoro non hai paura di affrontare i problemi mentre con me eviti di farlo?».

L'ho guardata, era una storia che conoscevo e a cui avevo già dato la mia personale interpretazione: era gelosa nel vedermi così coinvolto in qualcosa che lei non aveva. Dopo la nascita di Tommaso non era più riuscita a rientrare al lavoro, il suo posto era stato preso da un'altra.

Alice era una donna insoddisfatta di natura, e ogni tanto la sua insoddisfazione toccava vette più alte.

Non la capivo: volevamo sposarci, ci eravamo sposati, volevamo una casa, avevamo preso casa, volevamo dei figli, era arrivato Tommaso. Per lei bisognava sempre inventarsi qualcosa di nuovo, io tornavo dal lavoro e volevo solo stare tranquillo. Come diceva Andrea, io sono un uomo lavoro-divano.

Continuavo a tacere in modo ostinato, la delusione è comparsa sul suo viso: «So che ho sbagliato, ma non serve a niente che mi punisci coi tuoi silenzi». Ha sospirato. «Tu non mi vedi e io sono stanca di sentirmi sola.»

Era calma, arresa. Non mi parlava con la voglia di dimostrarmi che aveva ragione, mi parlava come chi ha perso il desiderio, chi porta su di sé il peso di una felicità mancata. «A volte penso che hai voluto un figlio per darmi una compagnia, per parcheggiarmi. Quando è stata l'ultima volta che mi hai baciata, prima di ritrovarci in questa situazione?» mi ha chiesto a bruciapelo.

La baciavo ogni mattina prima di uscire, ma sapevo che non si riferiva a quel tipo di bacio, ho esitato, non ricordavo il nostro ultimo vero bacio.

«Sono esausta.» Mi ha appoggiato una mano su un braccio. «Mi sarebbe bastato che tu mi avessi guardata negli occhi una volta e mi avessi abbracciato.»

Quando smetteva di parlare ripiombavamo nel silenzio.

«Sai cos'è che mi fa più male? Che, dopo tutti questi anni, ancora non hai capito chi sono.»

Ho trovato la forza di ribattere: «Non è vero. Ti conosco come nessun altro».

«Tu hai un'idea di me che non sono io.»

Non c'erano tensione, rabbia, rancori. Eravamo dentro un silenzio stanco e piatto.

In quel momento non ero in grado di capire niente di quello che cercava di dirmi.

È rimasta sulla porta in attesa che dalla mia bocca uscisse qualcosa. Quando ha capito che non sarebbe arrivato nulla, si è voltata e se n'è andata, lasciandomi solo a fissare lo schermo luminoso del computer.

7

La mattina mi sveglio sempre qualche minuto prima delle sei, in maniera naturale. Alice punta la sveglia alle sette e con lei lentamente si alza anche Tommaso. Nell'ora vuota che mi lasciano leggo il giornale, organizzo il lavoro, bevo il primo caffè in totale silenzio. È un'ora magica, sospesa al di fuori della mia vita, un'ora extra.

Poi, quando arrivano Alice e Tommaso, faccio colazione e bevo il secondo caffè.

Alle otto Andrea ha suonato il citofono, Alice è corsa in camera a finire di vestirsi.

Quando è entrato si è tolto la giacca e l'ha appoggiata sulla sedia. Aveva una maglietta tutta stropicciata.

«Hai fatto la lotta con un orso?» ho chiesto.

«È un tessuto strano, la tolgo dall'asciugatrice e resta così.»

Andrea non stira mai niente, mette il bucato nell'asciugatrice, che diventa il suo armadio. Quando gli serve qualcosa va a pescare da lì.

Io invece faccio stirare anche le magliette e le calze, come mia madre che stirava i fazzoletti di stoffa e i tovaglioli della cucina. Non indosserei mai una camicia non stirata, e nemmeno una maglietta.

«Ti faccio un caffè?» ha chiesto Alice quando è rientrata in cucina.

«Grazie, ci volevi tu, Paolo non mi ha chiesto nemmeno se volevo un bicchiere d'acqua.»

Quando è arrivato Tommaso, Andrea gli ha parlato con l'entusiasmo un po' forzato con cui ci si rivolge ai bambini: «Cosa ci fai già sveglio a quest'ora?».

Tommaso l'ha guardato con un'espressione seria: «Mi sveglio sempre presto, ho sei anni».

Mentre Alice preparava il caffè, sono andato in bagno a lavarmi e a controllare che non ci fossero cose intime in giro.

Sono tornato in cucina e stavano ridendo tutti, era l'effetto che Andrea faceva sulle persone.

Quando siamo rimasti soli, gli ho sussurrato: «Le ho detto che sei venuto perché hai bisogno che ti accompagni in un posto. Sono stato vago».

Andrea mi ha guardato con la faccia di quando fa una cazzata: «Le ho appena detto la verità».

«Ma come? Adesso? Davanti a Tommaso?»

«Tommaso era andato in camera sua.»

«E come ha reagito?»

«Mi ha fatto un in bocca al lupo.»

«Ma cazzo, ti ho lasciato solo due minuti.»

«Non mi hai detto che non dovevo dirglielo. E poi che male c'è? Mica me la devi fare tu la sega.»

Alice si è affacciata e mi ha guardato con gli occhi di chi vuole farmi capire che sono un coglione. Non sembrava per nulla in imbarazzo, nemmeno Andrea, l'unico a esserlo ero io.

«Caffè buonissimo, grazie Alice. Ora, se permettete, devo andare a fare una cosa in cui sono molto bravo.» Andrea ha preso dalla tasca della giacca un contenitore di plastica: «È per una buona causa. Vi ringrazio anticipatamente». Dopo ha aggiunto: «Paolo, tu preparati perché come esco da lì dobbiamo correre. Ti avviso che ci metterò poco, ho immagini in testa molto potenti recuperate dalle mie ultime, indimenticabili prestazioni». Con la faccia come il culo e un sorriso gigante stampato in faccia, si è chiuso la porta del bagno dietro le spalle.

Alice mi ha guardato subito. «Chissà perché preferisci sempre dirmi le cazzate invece della verità.»

Sapevo che aveva ragione. «Volevo proteggerti.»

«Da cosa?»

«Dall'imbarazzo.»

Ha scosso la testa, come a dire che non capisco niente.

«Vai a prepararti, l'hai sentito, no? Dovete fare in fretta.»

Mi sentivo un idiota. Mi sono infilato la giacca e l'ho aspettato davanti all'ingesso. Quando Andrea mi ha raggiunto, ha voluto che prendessimo le scale, anche se avevo già chiamato l'ascensore: «Abbiamo una quarantina di minuti da adesso. Non c'è tempo da perdere». L'ho seguito.

Una volta fuori, non mi ricordavo dove avevo parcheggiato l'auto. Nella via sotto casa non c'era.

«Cazzo, c'era il lavaggio della strada, forse me l'hanno portata via.»

«Come te l'hanno portata via?»

«Non la vedo. Prendiamo la Vespa, salgo a recuperare le chiavi. Ci metto un secondo.» Poi, mi è venuto in mente che l'ultima a usare l'auto era stata Alice, per andare a prendere Tommaso in piscina. Ho citofonato: «Dove hai parcheggiato?».

«Nella via all'angolo, c'era il lavaggio della strada.»

In pochi secondi io e Andrea eravamo seduti dentro l'abitacolo. Quando ho girato la chiave del quadro la spia della riserva si è accesa subito.

Se c'è una cosa che mi dà fastidio di Alice è che tira la benzina fino all'ultima goccia. Ogni volta ho paura che non mi basti neanche per arrivare al primo distributore. Non è una questione di soldi, proprio le fa fatica, e se può evitare evita.

«Dobbiamo fermarci per la benzina, oppure andiamo in Vespa.»

«Va bene qualsiasi mezzo, basta fare presto, prima che i miei spermatozoi comincino a boccheggiare come pesci fuori dall'acqua.»

Quando Alice mi ha buttato le chiavi della Vespa dal balcone, le ho urlato con tono seccato: «Ma perché non fai mai benzina?». Si è scusata con un gesto e un'espressione colpevole, tanto sapevo che l'avrebbe fatto di nuovo, era più forte di lei.

In meno di un quarto d'ora eravamo alla clinica, Andrea è entrato correndo, l'ho aspettato fuori.

Quando è uscito, sorrideva: «Tutto in tempo record. Grazie amico mio, se scoprirò di poter avere figli e dovessi mai averne questa sarà una delle mie storie preferite sullo zio Paolo».

Una cosa bella di Andrea è che è sempre di buon umore.

«Caffettino?»

«Ne ho già presi due.»

«E allora prendi qualcos'altro, è una scusa per stare insieme, genio.»

«Devo andare al lavoro.»

«Minchia, che noioso. "Devo lavorare" è la frase che hai detto di più in vita tua.»

A volte nemmeno me ne accorgevo, il senso del dovere si è sempre impossessato di me, sin da bambino.

«Dài, prendo un orzo.»

Andrea aveva un'espressione schifata. «Faccio finta di non aver sentito. Il caffè d'orzo, mamma mia. Magari poi chiediamo alla barista se ti dà anche un calcio nei coglioni, così sei più contento.»

Mentre eravamo in Vespa, mi ha urlato da dietro che aveva trovato Alice molto bene: «Non sembra che siete in crisi, anzi».

Gli ho risposto urlando a mia volta, per coprire il rumore del traffico e della Vespa: «Siamo civili. Dipende anche da come si sveglia. Oggi si è svegliata bene».

«Come dice un mio collega: "Alla mattina, per capire come andrà la mia giornata, non leggo il mio oroscopo ma quello di mia moglie".»

Abbiamo riso.

Poi ha buttato lì, come se fosse una domanda da niente: «La ami ancora, sei innamorato?».

Forse per il fatto che era seduto dietro di me, che non lo vedevo e che mi parlava vicino all'orecchio, mi è sembrata una domanda che nasceva dalla mia mente. Non era affatto facile trovare una risposta. Me l'ero chiesto anche in passato, ma dentro di me era tutto confuso: «Credo di sì, a volte abbiamo i nostri problemi, come tutti, ma alla fine va bene».

Andrea non ha fatto nessun commento. Ho anche avuto il dubbio che non mi avesse sentito per il vento, l'ho incalzato: «Tutto qui? Volevi solo sapere questo?».

«Stavo riflettendo sulla tua risposta. Ti ho chiesto cosa senti per Alice e tu mi hai detto cosa pensi.»

Sapevo di aver detto cose vaghe e fumose, ho provato a scoprirmi: «La verità è che questa crisi è complicata e io non so dove sbattere la testa».

Era la prima volta che lo dicevo a qualcuno, che ammettevo di essere in seria difficoltà e non dentro la normale amministrazione di una coppia.

Mi sono voltato appena, anche se sapevo che non sarei riuscito a vederlo: «Che c'è? Non te l'aspettavi?».

Andrea ha alzato un po' la voce per farsi sentire bene: «Non mi colpisce il fatto che sei spiazzato, mi colpisce che quando si tratta di sentimenti diventi freddo come l'altro lato del cuscino». Ho riso, l'associazione era molto divertente.

«Riflettevo su questo, razionalizzi tutto.»

Aveva ragione, ma ho sempre pensato fosse una qualità, non un difetto: «Non trovo così sbagliato cercare di capire».

«Non è sbagliato, solo che l'amore è una cosa che si sente. Se pensi ad Alice cosa senti? Amore, affetto, passione, rabbia, rancore.»

Non avevo niente con cui ribattere e abbiamo lasciato la conversazione sospesa.

Mentre mettevo la Vespa sul cavalletto ho sussurrato quasi tra me e me: «È un momento davvero strano».

Andrea si è tolto il casco: «*La vita* è un momento strano».

8

Mentre aspettavamo di ordinare, ho raccontato ad Andrea dell'auto di mio padre e di quanto fossi dispiaciuto che il nuovo proprietario non volesse venderla.

«Hai provato a fargli un'offerta più alta?»

«Sì, ma forse non era abbastanza alta.»

«Se vuoi ci parlo io e gli faccio un'offerta che non può rifiutare» ha detto imitando la parlata di Marlon Brando nel *Padrino*.

Ho riso, ma la questione rimasta in sospeso durante il tragitto in Vespa ancora mi tormentava.

«Cos'hai?»

Andrea era un segugio, capiva se stavo male ancora prima che lo capissi io.

«Lo so che è strano, e forse anche immaturo: stare anni con una persona, farci un figlio e non sapere una cosa del genere. Le voglio bene, ci tengo a lei, non la lascerei mai, ma non so dire se la amo ancora. Io le farfalle nello stomaco non le sento, forse non le ho mai sentite. Per me Alice è più una scelta. Ho scelto una donna come lei perché mi piaceva e la amo a modo mio, ma non credo sia l'amore di cui tutti parlano. L'amore che forse io non sono in grado di provare.»

Andrea mescolava lo zucchero nel caffè mentre mi ascoltava.

«Me l'ha chiesto anche lei qualche mese fa, e le ho risposto di sì, che la amo. Ma l'ho detto più che altro per chiudere il discorso.»

Andrea mi ha guardato. «Te lo ha chiesto a letto prima di addormentarsi?»

«Come fai a saperlo?»

«Fanno sempre così, o prima di dormire o in macchina dopo un lungo silenzio. Anche Marina se n'è uscita con questa domanda, una sera a letto dopo averlo fatto. Ho capito all'istante che, se non avessi risposto in maniera affermativa, mi sarei infilato in una discussione senza fine. E mi giravano già le palle perché volevo dormire.»

Ho sorriso.

«Lo so perché una volta l'ho fatto, le ho detto che volevo dormire, ero stanco e avevo la sveglia presto. Non mi ha parlato per tre giorni di fila. Be', lì avevo fatto anche un altro errore.»

Di solito Andrea è molto attento e scaltro con le donne.

«Quale?»

«Le ho chiesto se aveva il ciclo. Mi ha sbranato vivo.»

Anche Alice fa lo stesso, guai a chiederle se ha le sue cose quando è nervosa, come se fosse un'offesa.

«Che poi, se io fossi una donna farei l'esatto opposto, fingerei di averle sempre.»

L'ho guardato senza capire.

«Se ci pensi è una gran fortuna, perché puoi dare la colpa agli ormoni se hai un carattere di merda. "Non rispondermi in questo modo." "Scusa, hai ragione, ma ho le mie cose." "Non ti permetto di trattarmi in questo modo." "È vero, ma ho le mie cose." "Ma come cazzo guidi?" "Ho le mie cose, non capisco niente oggi."»

Ridevo di gusto, questa cosa mi divertiva più di quanto avrebbe dovuto.

«Loro invece fanno il contrario. Chi le capisce.»

Siamo rimasti in silenzio a goderci l'eco delle risate, poi Andrea ha aggiunto: «Comunque alla domanda "Mi ami ancora?" non c'è mai una risposta giusta. Una volta ho risposto "sì" a una mia ex e lei mi ha detto che non valeva nulla perché tanto non glielo dimostravo». Ha sbuffato. «Il vero punto è che è impossibile farle contente.»

Una delle cose più belle tra amici è lamentarsi delle donne sapendo che non possiamo farne a meno.

«Per fortuna Marina non vuole sposarsi. Sarà per il suo lavoro, non c'è niente come organizzare matrimoni per farti passare la voglia.»

«State cercando di avere un figlio, cosa cambia se vi sposate o no?»

Andrea è diventato serio all'improvviso. Di colpo mi sono ricordato di Sonia e del loro quasi-matrimonio, mi sarei rimangiato quello che avevo detto, ma ormai era tardi. Andrea aveva bisogno di rinforzare la sua tesi: «Sposarsi è una cosa stupida».

Lo ascoltavo in silenzio, anche se non ero d'accordo. Non ho mai capito le persone che stanno insieme anni, fanno dei figli, ma il matrimonio no. Sono i figli il vero "per sempre", per il matrimonio basta lasciarsi.

«Firmare un contratto per dire che si sta insieme, e poi per dirlo a chi? Al re?»

Abbiamo riso.

«Sai che invece io, nonostante i problemi e le difficoltà, la risposerei subito Alice?»

«Eh certo, la volevi sposare dopo tre mesi che la conoscevi.»

«Sono ancora convinto che sia stata una delle cose più belle della mia vita.»

La cameriera si è avvicinata e ci ha portato il conto, sorridendo ad Andrea. Lui ha ricambiato.

«Ma alla fine l'hai detto a Marina che la ami?»

«Sempre, ogni giorno.»

«Sarà contenta.»

«Non sono mai contente, te l'ho detto. L'ultima volta ho dovuto aggiungere che la amavo "come la prima volta che siamo usciti".»

«È vero?»

«Veramente la prima volta io volevo solo scopare.»

Sono scoppiato a ridere, poi ci siamo alzati per andare alla cassa.

Mentre finivamo di pagare abbiamo sentito una voce alle nostre spalle: «Guarda chi c'è, è una vita che non vi vedo».

Andrea si è irrigidito impercettibilmente: «Oh ciao, cosa ci fai qui a quest'ora?».

Roberto era un nostro compagno di liceo. Andrea ogni tanto lo frequentava ancora, io non lo vedevo da anni. Era sempre lui, solo la versione più vecchia: stessi capelli lunghi, anche se adesso erano bianchi, giacca di pelle, stivali, e come allora pieno di anelli. Era la rock star della scuola, suonava la chitarra e quando eravamo ragazzini cantava nei Ritmo Cabrio. In quegli anni erano diventati popolari, facevano pezzi originali, anche se per la maggior parte suonavano cover. Sognavano di diventare famosi, ma non ci erano riusciti perché "non avevano le conoscenze giuste", come mi aveva detto lui una volta.

«Non mi sono mai svegliato così presto in vita mia. Sono dovuto andare a fare una visita e non c'è stato modo di trovare posto il pomeriggio. Non avevo idea di quanta gente ci fosse in giro a quest'ora del mattino. Prendo un caffè e scappo.»

Gli ho consigliato il cornetto al cioccolato. «Sono vegano, niente uova, latte e burro.» E mi ha strizzato un occhio.

Non mi sarei mai aspettato che proprio lui diventasse vegano, era stato l'unico del gruppo ad aver fatto uso di ogni tipo di droga. Appena si è allontanato, Andrea ha commentato: «Che sfigato. Ci ho discusso due settimane fa. Se non ci fossi stato tu, avrebbe fatto finta di non vedermi».

«Per cosa avete discusso?»

«Per la storia del cibo, è un vero scassacazzo. Che poi non c'è niente di male a essere vegani, però non puoi farlo pesare a tutti. Te la ricordi Cristiana? Quando stavamo insieme lei mangiava il suo, io mangiavo il mio. Due settimane fa eravamo in otto a cena, c'era anche Roberto. Uno ha preso gli asparagi con le uova e lui gli ha chiesto se gli piacevano le mestruazioni delle galline, l'altro ha preso i ravioli in brodo e lui a dire che il brodo è la liposuzione dell'animale. Alla fine ho sbroccato e gli ho spiegato perché è diventato vegano. Lui si è offeso.»

«Sentiamo, quale sarebbe il motivo?»

«È un modo per sentirsi speciale, diverso dagli altri. Siccome non ci è riuscito con la musica, è diventato vegano. Secondo te perché ci ha detto che al mattino dorme? Per farci pesare che lui non è come me o come te, lui è più evoluto. Se fosse diventato famoso si mangerebbe certe bistecche come quelle dei Flintstones.»

Andrea aveva ragione su tutta la linea, gli invidiavo la capacità di capire le persone.

Per tutto il giorno mi è tornato in mente Roberto. L'incontro con lui mi aveva fatto pensare a come alcuni restino intrappolati in un'idea di sé che non corrisponde più alla realtà. Vivono in un perenne autoinganno. "Chissà qual è il mio" mi sono chiesto.

9

Tornando a casa sono entrato in una libreria. Avevo voglia di leggere una bella storia che mi facesse evadere, nell'ultimo periodo avevo letto solo per lavoro. Ho visto su uno scaffale *Le nostre anime di notte*, me ne aveva parlato un amico e il titolo faceva pensare a una storia intima e delicata.

A casa ho cucinato per me e Tommaso, perché Alice era fuori a cena, e dopo averlo messo a letto mi sono rilassato sul divano con il libro nuovo. Ho fatto in tempo a leggere una decina di pagine, quando è squillato il telefono, numero sconosciuto. Subito ho pensato che volessero vendermi un abbonamento del telefono o del gas o della luce e ho silenziato la suoneria.

Dopo pochi secondi è squillato di nuovo e ho risposto. Era Leuzzi, l'ho riconosciuto dall'accento.

«Senta, è da quando mi ha chiamato che penso alla storia di suo padre. Quando sono tornato a casa ho parlato con mia moglie Vita e alla fine abbiamo deciso di far tornare l'auto lì da voi, così può regalare altra gioia a suo padre. A noi ne ha data tanta.»

Ero felice ed emozionato, non tanto per la macchina, quanto per l'umanità di quei due sconosciuti.

Quando ho chiuso la conversazione, ho alzato le braccia gridando «Sìììììì», come se avessi segnato un gol alla finale dei Mondiali.

Ho mandato subito un vocale ad Andrea, che mi ha chiamato dopo un minuto: «Se vuoi ti accompagno, quanto tempo è che non facciamo un viaggio in auto insieme?» mi ha detto tutto gasato.

Ho esitato, non sapevo cosa rispondere. Stavo già pianificando nella mia testa: come fare a recuperarla, la partenza, le tappe, i giorni. Da solo sarebbe stato più semplice, il programma non prevedeva la sua presenza.

Andrea si è infilato nel mio silenzio: «Pensi che possa rovinarti i piani, vero?».

«Ma no…» mi sono affrettato a rispondere.

Ha riso. «Avrai già deciso il percorso, calcolato l'orario delle partenze e degli arrivi, guardato gli autogrill, gli hotel per dormire. Dimmi che sto sbagliando.» Anche questa volta mi aveva stanato.

«Per gli autogrill non ho ancora controllato, non ho avuto tempo» ho detto imbarazzato. «L'auto ha i suoi anni e devo pensare a tutto, non mi fido a fare una sola tirata.»

«E adesso che mi sono offerto di venire con te il tuo cervello è esploso: "Imprevisti, imprevisti, imprevisti. Capitano, stiamo perdendo il comando, emergenza".» Andrea si divertiva un sacco a sfottere il mio bisogno di controllo.

«Fra l'altro, visto che è di strada, pensavo di prendermi giovedì e venerdì e fermarmi da Nicola, è più di un anno che non lo vedo» ho detto.

«Se vuoi stare da solo con tuo fratello, allora alzo le mani e mi ritiro.»

Ero riuscito ad arginarlo, mi faceva piacere vedere Nicola, ma non avrei avuto nessun problema se ci fosse stato anche Andrea. In quel momento però ero agitato e non volevo prendere impegni. Negli ultimi anni avevo cominciato a fare sempre più cose da solo, così da non essere costretto a mediare con altri. Quella che mi sembrava una semplificazione mi aveva portato lentamente a chiudermi. Me ne stavo accorgendo in quel momento.

Quando Alice è rientrata, le avrei voluto raccontare ogni cosa. Mi sono sempre fidato del suo senso pratico, che a volte sa essere molto saggio. Ma in questa strana pausa, non sapevo bene come comportarmi.

La mattina mi sono svegliato con una certezza, il viaggio in due sarebbe stato meglio. Ho chiamato Andrea. Ha risposto subito: «Sono già gasato. Un'avventura come ai vecchi tempi».

10

Andrea e Marina hanno un modo tutto loro di essere una coppia: non convivono. Possono dormire insieme tre, quattro giorni di seguito, dall'uno o dall'altra, ma poi ognuno a casa propria. Anche se un giorno dovessero avere un figlio, non intendono cambiare questo assetto.

Quando si parla dell'argomento, c'è sempre qualcuno che chiede il motivo della loro scelta. Con grande serenità rispondono che stanno bene così e non vedono perché cambiare.

Andrea non ha mai convissuto con una donna, per scelta personale, perciò avevo pensato fosse stata una sua decisione. Invece era stata un'idea di Marina. Aveva avuto una relazione di dodici anni con un uomo e, da quando era terminata, aveva maturato la convinzione che la convivenza uccidesse l'amore.

Durante una cena a casa nostra, avevo detto che la loro situazione sarebbe diventata ancora più assurda nel momento in cui avessero avuto un figlio.

«Che poi non capisco qual è il problema della convivenza.» Andrea mi aveva risposto: «Perché essere infelici sette giorni su sette se possiamo essere felici quando ci vediamo?». Io e Alice eravamo rimasti spiazzati, nessuno aveva ribattuto, perché entrambi conosciamo la storia di Andrea e non volevamo ferirlo.

Andrea ha sempre vissuto di relazioni brevi, incontri occasionali e intensi. Erano le donne a innamorarsi di lui, per la sicurezza che emana, per la disinvoltura e la simpatia. È sempre stato convinto che il suo fascino arrivasse dal fatto che era inafferrabile, sfuggente. «Con una donna non devi mai dare l'idea di essere completamente suo, altrimenti sei sotto scacco» diceva sempre. Finché la sua vita è andata a sbattere contro Sonia. La loro alchimia era così forte che Andrea, dopo pochi incontri, aveva dimenticato tutte le sue teorie e le aveva chiesto di fidanzarsi con lui. Sonia era stata categorica: «Vai bene per scopare, ma non sei l'uomo che voglio vicino». Questa risposta lo aveva atterrato. «Ti rendi conto?» mi diceva. «Ho una fila di donne che farebbero carte false per me e l'unica con cui voglio stare mi risponde così. La vita è veramente assurda.»

Secondo Andrea, Sonia aveva ragione riguardo alla loro alchimia, lei era stata la scopata più bella di tutta la sua vita. Non aveva mai provato con nessuna quello che provava con lei. Forse era quello il potere che aveva su di lui: Sonia era la sua Circe, la donna che prima incanta e seduce gli uomini e poi li rende schiavi facendo leva sui loro istinti più bassi.

Un giorno, senza preavviso, Sonia si era trasferita a Roma e Andrea si era liberato dall'incantesimo.

Finché la morte della madre di Andrea non aveva rimesso tutto in gioco. A sorpresa, Sonia si era presentata al funerale. Era tornata a Milano da qualche mese.

Nel terremoto di quella perdita, e nella confusione e fragilità che si era portata dietro, il ritorno di Sonia aveva riaperto un varco. Nel giro di una settimana, erano finiti di nuovo a letto. A quanto pare la loro alchimia era viva e in salute. Non altrettanto la lucidità di Andrea, che le aveva proposto di nuovo di fidanzarsi. A questa follia Sonia aveva risposto di sì, confermando di non essere cambiata per nulla e di essere ancora matta come una volta.

Vulnerabile ed esaltato dalla reazione di lei, Andrea aveva alzato la posta: dal fidanzamento al matrimonio in una sola mossa. E lei gli era andata dietro.

Avevo cercato di dissuaderlo in tutti i modi e come risposta avevo ricevuto l'invito a fare da testimone. A quel punto potevo solo stargli vicino cercando di limitare i danni, perché ero sicuro che avrebbe finito per schiantarsi. Ancora però non sapevo come.

Avevano deciso di fare una piccola cerimonia in Comune, perché volevano puntare tutto sulla festa: «Deve essere indimenticabile» mi aveva detto Andrea.

Per organizzarla aveva chiamato l'agenzia migliore di Milano, voleva che fosse esagerata e voleva anche che si facesse tutto molto in fretta. Forse in una parte nascosta del suo cervello sapeva che era una follia e che, se avesse aspettato, sarebbe saltato tutto.

La ragazza dell'agenzia era in gamba e molto sveglia. Andrea era riuscito a dirmi: «Se non fosse che mi sto sposando ci proverei di brutto con una così. È della mia categoria, si vede subito».

"È della mia categoria" è una sua frase classica. Non ho ancora capito quali caratteristiche debba avere una donna per essere della sua stessa categoria, ma la ragazza dell'agenzia lo era decisamente.

Per l'addio al nubilato, Sonia aveva scelto due settimane in Messico: «Voglio avere il colore della pelle perfetto per il vestito».

Avevo provato a mettere in guardia Andrea, di solito le spose si fanno un weekend in barca con le amiche, o a Praga, non vanno al di là dell'oceano per due settimane. Andrea era sereno, si sentivano tutti i giorni, lei era sempre più innamorata e felice di sposarlo. Ero io che vedevo problemi ovunque mi voltassi, secondo lui.

Il giorno del matrimonio eravamo davanti al Comune un'ora prima, nei nostri completi fatti su misura. Era una bellissima giornata di maggio, il mese perfetto per sposarsi.

La festa all'aperto sarebbe stata una bomba. Tutto era pronto. Solo che Sonia non si è presentata, ha mandato la sua testimone, a cui è toccato dire davanti alla faccia stravolta di Andrea: «Sonia ci ha ripensato, le dispiace da morire ma è successo tutto in fretta e non se la sente».

All'inizio ho creduto fosse uno scherzo, perché certe cose succedono solo nei film, non nella vita vera. E invece mi sbagliavo. Andrea l'ha cercata ovunque, sicuro che l'avrebbe convinta, ma lei non si è fatta trovare. Alla fine si è arreso e ha deciso che la festa andava fatta lo stesso.

«Un matrimonio mancato non è un buon motivo per cancellare una festa» ha detto.

Ha bevuto così tanto che lo abbiamo dovuto portare a casa in quattro.

Il giorno dopo abbiamo scoperto che Sonia era tornata in Messico, aveva incontrato "l'uomo della sua vita", così aveva raccontato alla sua testimone.

«Vuoi ridere?» mi ha detto Andrea al telefono qualche tempo dopo. «Sta con uno di Bologna che vive là. È andata dall'altra parte del mondo e si è messa con un bolognese. Dimmi tu se non è una barzelletta questa.»

Di Sonia non abbiamo più saputo niente.

11

Il volo era alle due. Ho deciso di non andare in ufficio la mattina e iniziare la mia vacanza con una bella partita a tennis. Dopo, sarei passato a prendere Andrea in palestra, per poi andare insieme verso l'aeroporto.

Ha lanciato la borsa sul sedile posteriore ed è salito in auto: «Ho una richiesta da farti».

«Subito? Partiamo malissimo.»

«Devi fare uno stop in farmacia, mi serve una cosa.»

«Dobbiamo passare prima da mia madre.»

«Prima la farmacia, se non ti scoccia.»

«Cosa cambia se andiamo da mia madre e poi in farmacia?»

«Devo prendere le proteine e tra qualche minuto mi si chiude la finestra anabolica.»

L'ho guardato senza capire.

«Sto spingendo in palestra e dopo l'allenamento devo assumere proteine prima che si chiuda la finestra anabolica. Per avere un risultato migliore.»

Non avevo mai sentito parlare di una cosa simile: «Tu non stai bene» ho detto.

Dopo la farmacia, lo guardavo bere le sue proteine da uno shaker: «Davvero pensi che questa roba serva?».

«Te lo dico tra qualche mese. Intanto guarda che pettoralino che ho.» E si è toccato il muscolo.

«Non ti ricordavo così in fissa.»

«È la crisi della mezza età, l'ultimo morso della tigre prima di morire.»

Abbiamo riso.

Mi ha raccontato che in palestra è pieno di uomini che si fanno di testosterone. Pare che il testosterone abbia sostituito la cocaina anche a Wall Street. Dicono che ti fa tornare a quando avevi trent'anni, pieno di forza, lucido e sessualmente attivo.

«Spero tu non ci stia pensando.»

«Qualche pensierino l'ho fatto. Alla fine però ho deciso per amminoacidi e proteine. Restare nella legalità è più semplice.»

«Sai che non ti capisco. Cosa te ne frega di avere il pettoralino?»

«Voglio solo vedere qualche risultato, odio quelli che vanno in palestra da anni e sono sempre uguali. Non dimagriscono, non mettono su massa, dicono di fare mantenimento ma sono dei cessi. Che cazzo mantieni? Fatta così la palestra che senso ha?» Mi ha dato una pacca forte sulla coscia e ha alzato la voce. «Sei contento di fare questo viaggio insieme? Io sto a mille.»

Era come stare con Tommaso quando andava su di giri perché aveva mangiato un gelato, delle caramelle o una fetta di torta. Andrea non stava fermo sul sedile, sembrava molto eccitato all'idea del viaggio insieme. Forse era l'effetto delle proteine.

«Che devi fare da tua mamma?» mi ha chiesto come se si fosse ricordato all'improvviso della mia piccola deviazione.

«Devo lasciarle la borsa con le cose sudate del tennis.»

Si è voltato verso di me e mi ha guardato sdegnato: «Alla tua età portare le cose sporche da lavare alla mamma è da malati».

«Alice non c'è e non mi va di lasciare la sacca con le cose puzzolenti tre giorni in macchina.»

Era sinceramente incredulo: «Tu ti fai fare la lavatrice da tua madre e sei sereno così?».

«Vorrei ricordarti che tu sei quello che corre in farmacia perché ti si chiude la finestra ana-qualcosa.»

«Sono sotto choc. Quando Marina va via io non porto le cose da mia madre. E non lo dico perché è morta.»

Ho cercato di difendermi in un altro modo: «Guarda che è contenta, lo faccio più per lei che per me».

Ha alzato gli occhi al cielo: «L'idea che tu sabato sera passi da tua madre a ritirare la biancheria lavata, stirata, piegata e profumata mi fa inorridire, c'è un qualcosa di incestuoso. È ora di tagliarlo 'sto cordone ombelicale».

Guidavo senza distogliere lo sguardo dalla strada: «Se Alice fosse a casa non lascerei la borsa a mia madre».

«Certo, perché Alice è diventata una mamma per te. Chissà se è contenta» mi ha risposto dandomi un'altra pesante pacca sulla coscia.

«Piano oh, vuoi farci uscire di strada?» ho protestato.

Non mi sarei fatto dire quelle cose da nessun altro, solo Andrea sapeva farlo nel modo giusto, diretto e affettuoso. Sono rimasto in silenzio perché ho ripensato a tutte le volte in cui Alice mi aveva detto lo stesso: «Io non sono tua madre, Paolo, io sono tua moglie». Non so se fosse davvero come diceva, ma so di sicuro che non ne era contenta.

Dalla mia playlist è partita *Northern Sky* di Nick Drake, uno dei miei musicisti preferiti: «Senti che bella questa canzone, la conosci?».

«Non ascolto lagne, mi piace la musica allegra.»

«Allora lui non ti piace di sicuro. Si è suicidato a ventisei anni per colpa di quelli come te che non capivano la sua musica.»

«Se non cambi mi suicido anche io.» E ha selezionato la radio sul display dell'auto.

Sotto casa dei miei, mentre scendevo, Andrea mi ha fermato prendendomi un braccio: «Fatti dare qualcosa per il pranzo e la borsa dell'acqua calda per digerire».

Ho alzato il dito medio. Siamo scoppiati a ridere.

12

Al bar dell'aeroporto mi sono preso un tramezzino, Andrea un piatto di bresaola con rucola e grana. Mangiavamo in silenzio, non mancava molto all'imbarco. Alla fine, prima del caffè gli ho confessato che ero contento che lui e Marina cercassero di avere un figlio: «Sarai bravissimo come papà».

C'è stato un momento di leggera emozione e imbarazzo.

«Lo pensi davvero?»

«Certo, sei paziente, affettuoso, pure divertente. E hai un sacco di energia.» Ho esitato, poi gli ho chiesto che cosa gli avesse fatto desiderare un figlio proprio adesso.

«Mi è sembrato che fosse arrivato il momento anche per me.»

Ho pensato al fatto che da poco era morto suo padre. Non volevo entrare in quel discorso, l'ha fatto lui: «Sono rimasto solo io della mia famiglia e voglio amare qualcuno di un amore di sangue. Non per scelta, per destino».

Era un discorso onesto, come sono sempre i suoi discorsi.

«Se dovesse essere maschio lo chiamerò Gianni, come mio padre. Sperando si goda la vita come ha fatto lui.»

Ha sospirato prima di aggiungere: «E poi Marina è l'unica con cui potrei farlo».

Non l'avrebbe mai ammesso, Marina l'aveva salvato dalla batosta di Sonia.

Si erano incontrati per caso dopo il matrimonio mancato e si erano riconosciuti al volo, era difficile per lei dimenticare uno sposo abbandonato sulla soglia del Comune. Marina era la ragazza incaricata dall'agenzia di organizzare la festa nuziale. Era quella "della sua categoria".

Appena l'aveva vista, Andrea era stato preso dall'orgoglio tutto maschile di recuperare la propria immagine davanti agli occhi di lei. Aveva sfoderato le battute migliori, una disinvoltura incredibile, e subito si era accorto che avevano una buona intesa, come subito lei gli aveva fatto sapere che conviveva da molti anni.

«Sei fedele?» le aveva chiesto con la sua solita sfacciataggine.

«Tendenzialmente sì» aveva detto lei. E lui aveva trovato quella risposta meravigliosa. Combaciava con la sua superfilosofia del tradimento: per lui il tradimento è un'esperienza che fa bene, che toglie frustrazioni e cattivo umore, e di questo benessere godono tutte le persone che ti stanno intorno, compresa la compagna ufficiale. Insomma, il tradimento serve a far star bene la coppia.

Ovviamente non l'aveva detto a Marina, né quella volta, né le successive in cui si erano visti. Lei si faceva corteggiare, ma non cedeva di un millimetro.

Andrea però non si perdeva d'animo: «Marina è una donna da investimento a lungo termine. Lo so già che non la convincerò da un giorno all'altro».

Bastava non spingere, non farsi prendere dalla fretta, non perdere il controllo. Mandava un messaggio ogni tanto, magari dei fiori in ufficio ringraziando per qualcosa, una gentilezza, qualche piccola attenzione.

«A volte vorrebbero anche dire di sì» mi spiegava Andrea, «ma molte donne hanno bisogno di tempo prima di concedersi una cosa bella solo per loro.»

Un giorno le aveva spedito in ufficio *L'amore ai tempi del colera* di García Márquez, la storia di un uomo che attende il suo amore per cinquantatré anni, sette mesi e undici giorni, notti comprese.

Nella dedica aveva scritto: "Per te posso farlo, non ti nascondo che spero in un tempo più breve".

Io non ho mai avuto così tanta costanza e determinazione con una donna, dopo un mese di corteggiamento avrei mollato. Lei si negava, ma non gli chiedeva di smettere. La verità era che si stavano divertendo entrambi, era un gioco e io non avevo capito niente.

Uno degli ultimi messaggi di Andrea era stato: "Tieniti pronta per un ballo, non possiamo sapere quando suonerà la nostra canzone".

Poi mi aveva chiamato ridendo: «Ho fatto bollire l'acqua, adesso devo abbassare la fiamma. Non è ancora il momento di buttare la pasta». Ed era scomparso dai radar di Marina. Per settimane.

Un giorno, mentre era al supermercato, Andrea ha sentito la suoneria di un messaggio: "Stanno suonando la nostra canzone, è tempo di ballare".

13

Sull'aereo, io avevo il posto finestrino, Andrea quello centrale.

«Facciamo cambio?» mi ha chiesto. «Così mentre lavori mi appoggio e mi faccio una bella dormita.»

«Come fai a sapere che devo lavorare?»

Mi ha guardato con l'espressione compiaciuta di chi sa ogni cosa senza doverla spiegare.

Siamo decollati, l'aereo ha superato le nuvole e ci siamo ritrovati in una giornata di sole. La luce entrava dai finestrini, i riflessi e il riverbero dei raggi si muovevano sull'interno della cabina rendendo tutto incantevole.

Quando abbiamo raggiunto la quota ho abbassato il tavolino e ho aperto il computer. Volevo lavorare, ma non riuscivo a concludere niente, la mia attenzione fuggiva in continuazione dalle tabelle Excel che avevo davanti.

«A cosa pensi?»

L'ho osservato, aveva la riga della cucitura del poggiatesta su una guancia. Si è stropicciato gli occhi e passato le mani sulla faccia. Guardava fuori dal finestrino, ancora un po' intontito dal sonno.

«Sei distrutto» gli ho detto. «Altro che finestra anabolica.»

Abbiamo riso.

«Sono andato a letto alle quattro ieri sera.»

«Alle quattro?»

«Sono tornato a casa che erano quasi le due, poi mi sono messo a vedere un film e tra una cosa e l'altra…»

«Io se vado a letto dopo mezzanotte sono rincoglionito tutto il giorno.» Ho fatto una pausa e ho continuato: «Alice esce ancora a ballare con le amiche. Ogni tanto mi chiedeva se volevo andarci anche io».

«E tu?»

«Preferivo restare a casa a tenere Tommaso.»

Andrea mi ha rivolto uno sguardo di disapprovazione. Ho sentito il bisogno di giustificarmi: «La festa non è ancora finita per noi? Non devono ballare gli altri adesso, quelli più giovani? Che poi quelli della nostra età sono ridicoli quando ballano».

«È chiaro che te lo chiedeva per stare con te, non per ballare.»

Era la stessa cosa che diceva Alice e ogni volta mi paralizzava. Quando mi chiedeva di fare cose che non mi piacciono, mi costringeva a scegliere tra due mali: fare qualcosa controvoglia oppure non accontentarla, con una certa e pessima ricaduta sul suo umore e, a seguire, sulla nostra quotidianità.

«So che siete in crisi, è chiaro, ora la domanda vera è se scopavate ancora. Perché se scopavate c'è speranza.»

Non ho mai capito perché le persone tendano a valutare la qualità di una relazione dall'intensità erotica e sessuale. «Dopo anni subentrano cose più importanti, altri parametri.»

«Sono le classiche parole di chi non scopa più, e questo è molto pericoloso. Magari sei uno di quelli che scopa in giro ma non dice niente a nessuno. Da quanti anni state insieme?»

«Dodici.»

«Uff… chissà quante ne hai fatte in dodici anni» ha detto, alludendo chiaramente al contrario.

«Non ho nessuna doppia vita, semmai ho un po' di doppio mento.» Siamo scoppiati a ridere. Andrea aveva una leggerezza rara nell'affrontare argomenti delicati. Era l'unica persona con cui sapevo di potermi aprire, perché non mi avrebbe mai giudicato.

«Alice mi ha detto che ho smesso di essere divertente, che quando sono con lei sono sempre teso, preoccupato, cupo. Dice che mi sono spento.» Ho guardato Andrea per cogliere qualche segnale da parte sua, di conferma o meno. Mi ascoltava senza muovere un muscolo.

«È vero? Lo pensi anche tu?»

«Non lo penso, è un dato di fatto.» Quando si è accorto della mia espressione stupita è scoppiato a ridere. «Vai avanti, continua.» Si diverte sempre quando qualcuno mi critica o mi mette in difficoltà.

Gli ho raccontato dei discorsi che mi aveva fatto Alice: che sono diventato prevedibile, che si annoia, perché tutto quello che faccio o dico non è mai spontaneo, ogni cosa è funzionale a qualcos'altro. «Insomma, dice che sono diventato un uomo consueto.»

Andrea ha sospirato: «Il fatto è che non sai più divertirti. Per te esiste solo la fatica. Sembra che caricarti di pesi e responsabilità ti dia un piacere strano, come se fosse l'unico modo dignitoso di vivere».

«Vorrei che provassi a fare una settimana al posto mio, con i miei genitori, il lavoro, Tommaso.»

«Vedi che ho ragione? È come se la vita fosse difficile solo per te. Sei insopportabile.»

«E allora perché ci tenevi tanto a venire con me in questo viaggio?» Ero teso e anche un po' risentito.

«Perché voglio esserci quando si rifarà vivo il Paolo un po' cazzone.»

Ho sorriso.

«Perché sono sicuro che prima o poi torna.» Andrea è rimasto in silenzio. Sapevo che stava ancora rimuginando e che non era finita. «Se tu potessi fare tutto quello che vuoi, nessuna cosa esclusa, anche volare o avere cinque cazzi, cosa sceglieresti?»

«Allora, cinque cazzi no di sicuro.»

«Anche perché quello sarebbe il mio desiderio.»

Ci ho pensato qualche secondo, ma non mi veniva nulla. Forse il mio primo desiderio era che le cose tra me e Alice tornassero come all'inizio, non mi andava di dirglielo.

«Una cosa c'è.» Andrea mi ha guardato incuriosito. «Avrei dovuto prendere la schiscetta che mia madre mi aveva preparato per il viaggio.» Andrea ha sorriso sornione. «C'è poco da star contenti, ne aveva una anche per te.»

«Comincio a intravedere il vecchio Paolo» ha detto, e siamo scoppiati in una risata.

Un secondo dopo l'atterraggio si sono sentiti mille suoni di messaggi, come se le persone non potessero aspettare un solo minuto di più ad accendere i telefoni.

Agli arrivi bisognava andare a piedi, erano così vicini che non serviva l'autobus. Camminavamo con il vento forte e il rumore degli altri aerei sulla pista.

«Quanto è comodo viaggiare solo col bagaglio a mano.»

«Marina parte carica?» ho chiesto sorridendo.

«Carica? Ogni volta che prendo la sua valigia per metterla in macchina, le chiedo se si è portata anche il divano e l'angolo cottura. Butta dentro le cose dicendo: "Non si sa mai, non si sa mai..." e a botte di "non si sa mai" la valigia esplode.» Andrea parlava con grandi gesti. «Poi al check-in dobbiamo sempre togliere qualcosa.»

Anche a me era capitato con Alice e Tommaso, ricordo quanto mi avesse dato fastidio aprire la valigia davanti a quelli in coda.

«Che poi» ha detto Andrea, «come cazzo fai a sapere quanti sono due chili di magliette, camicie e maglioni? Mica faccio il salumiere: sono due chili e due etti, che faccio, lascio?»

Era tutto acceso nel raccontare, io continuavo a ridere.

«Anche perché togli il peso dal bagaglio ma non è che lo lasci in aeroporto. Lo porti comunque sullo stesso cazzo di aereo.»

Ci ho pensato, forse era una questione di distribuzione dei pesi.

14

Appena fuori dall'aeroporto Andrea voleva farsi una birretta.

«Non iniziamo con le birrette. Andiamo a prendere la macchina, poi ci facciamo tutte le birrette che vuoi.»

«Potevamo farcene una adesso e una dopo.»

Dopo pochi minuti eravamo già sul taxi direzione Ceglie.

L'appuntamento era nel centro del paese.

Lungo la strada si vedevano campi di terra rossa con ulivi secolari circondati da muretti a secco.

Ero sorpreso dalla bellezza, come se fossi dentro un museo a cielo aperto. Ogni ulivo era diverso dall'altro, con i suoi avvitamenti nodosi che lo rendevano simile a un corpo danzante.

Ho abbassato il finestrino del taxi e ho sentito l'aria buona entrarmi nelle narici, sapeva di Mediterraneo, di vacanza.

Andrea ha interrotto i miei pensieri: «Hai notato

che i vestiti che ci siamo messi addosso a Milano qui stonano?». Mi ha dato un'occhiata: completo formale blu, camicia bianca e mocassini.

«Sei proprio un assicuratore» mi ha detto.

«È il mio lavoro. I clienti si aspettano di vedermi così.» In realtà aveva ragione, mi ero portato un cambio ma non avevo pensato di indossarlo subito.

Quando siamo arrivati a Ceglie, ci siamo ritrovati immersi nel bianco delle chianche pugliesi.

Ho chiamato per dire al signor Leuzzi che eravamo lì. Era per strada, ci avrebbe raggiunto subito.

Si è avvicinato un ragazzo nero con una cassetta in mano. Vendeva accendini, piccole torce, custodie per cellulari. Si è fermato prima a un capannello di tre uomini dell'età di mio padre.

«Non ci serve niente, Bangladesh» gli ha detto uno dei tre. Allora è venuto verso di me, non mi ero accorto che ero solo, Andrea era sparito.

«Non mi sembri affatto del Bangladesh» ho detto.

«Sono senegalese, ma in Italia o sei italiano o altrimenti il resto è tutto uguale.»

Era simpatico, gli ho comprato un accendino.

Andrea è spuntato fuori dal nulla con due birre fredde in mano e un enorme sorriso di soddisfazione.

«Non potevi aspettare?»

«Dài, bevi. Non rompere i coglioni. È piccola, da trentatré.»

Mentre eravamo seduti sul marciapiede con le birre in mano, ho visto spuntare la spider. Mi è venuto un colpo, era lei.

Al volante c'era Leuzzi e accanto a lui una donna della sua età, probabilmente Vita, la moglie.

Quando è sceso, si è scusato subito con una stretta di mano e un sorriso amichevole: «Le chiedo scusa per il ritardo, siamo andati a fare benzina e, visto che era l'ultima volta, ne abbiamo approfittato per fare un giro».

Era un uomo brizzolato con un po' di stempiatura, i lineamenti del viso erano buoni e accoglienti.

«Le confesso che non è facile lasciarla andare. Ho anche un poco sperato che cambiasse idea e non la volesse più.»

Mi sono dispiaciuto, forse ero stato troppo egoista e insistente. Lui subito ha aggiunto: «È giusto così. Questa auto porterà ancora tanta felicità».

L'ho ringraziato e mi sono avvicinato per guardarla dentro, sembrava che il tempo non fosse passato, era identica, nessun cambiamento. Ho immaginato la gioia di mio padre quando l'avrebbe vista.

«Possiamo offrirvi qualcosa?» ci ha chiesto sua moglie.

«No, grazie» ho risposto, «siamo a posto.»

«Avete mangiato il panino cegliese? È una cosa tipica nostra.»

Volevo partire subito perché ci aspettavano chilometri di strada.

«Certo, lo proviamo volentieri.» Andrea già li seguiva tra le vie di Ceglie.

Mentre faceva mille domande sul panino, mi sono chiesto cosa sarebbe successo se avessero rubato l'auto in quel momento. A chi dei due l'avrebbero rubata? Ormai era intestata a me, ma non era ancora avvenuta la consegna delle chiavi. Mi avrebbero ridato i soldi?

Mi sono vergognato dei miei pensieri.

«È un panino con provolone, tonno, mortadella e

capperi. Ci sarebbe anche la giardiniera se vi va, ma molti lo preferiscono senza» diceva Vita ad Andrea. Ho sentito già l'acidità di stomaco bruciarmi l'esofago, avrei trovato una scusa per non assaggiarlo.

Siamo arrivati davanti a una salumeria e Leuzzi ha ordinato subito tre panini. Ho tentato di fermarlo: «Per me no, grazie, non ho fame».

«E che c'entra la fame? Mica ci sediamo a mangiare, è un assaggio. Mi dia retta, non se ne pentirà.»

«Certo che lo assaggia» ha aggiunto Andrea.

«Però piccolo.» Non ho saputo rispondere altro.

«La misura è una, al massimo lo finisce il signor Andrea» ha detto Leuzzi. «Prendiamo anche tre birre. Senza birra è un peccato.» Poi ha guardato sua moglie. «Per me niente, sono a dieta» ha detto Vita.

Ho capito che mi trovavo in una di quelle situazioni da cui è difficile scappare, non avevo vie d'uscita.

Andrea mi ha guardato, con un sorriso divertito e fastidioso: «Qui è una battaglia persa».

Prima di preparare i tre panini, il salumiere ci ha offerto dei nodini di mozzarella appena fatti, dei taralli e qualche pezzetto di focaccia ripiena di cipolla, olive, pomodorini e ricotta forte.

Andrea mi guardava e rideva, sapeva che odiavo mangiare così, mischiando tutto.

Quando il salumiere mi ha passato il panino cegliese, ero già pieno: «Do un morso soltanto».

Appena l'ho assaggiato, è stata un'esplosione in bocca. Leuzzi mi ha guardato soddisfatto: «Cosa le avevo detto?». Poi ha proposto un brindisi alla spider, abbiamo fatto tintinnare le birre. Lui mi ha guardato e mi ha posato le chiavi sul palmo della mano. L'emozione è stata inaspettata.

Ho persino finito tutto il panino.

Tornati all'auto, non vedevo l'ora di guidarla.

Leuzzi non aveva un'espressione triste, di chi si stava separando da una cosa cara, sembrava felice.

Ho girato la chiave, il rumore del motore acceso mi ha riportato subito alla mia infanzia. Ogni cosa mi riportava alla mia infanzia: il volante in legno, il contachilometri, i pulsanti per le luci, il grande posacenere al centro, la leva del cambio con il pomello.

Era la prima volta che la guidavo in vita mia.

«Non me la immaginavo così bella» ha detto Andrea, forse perché mi vedeva entusiasta. «Ho portato una piccola cassa da collegare al telefono per sentire la musica.»

Abbiamo salutato Leuzzi e la moglie e abbiamo cominciato il nostro viaggio verso casa.

15

Era agosto, domenica, avevo cinque anni. Stavo giocando da solo nella mia cameretta. Era un pomeriggio silenzioso d'estate, le finestre aperte, il suono di una televisione lontana. Mia madre riposava a letto, sdraiata sotto il ventilatore con Nicola.

Mio padre ha aperto la porta della mia cameretta: «Vieni, andiamo a prenderci un gelato».

Mi sono alzato subito e sono andato a infilarmi le scarpe. Quando andavo in giro con mio padre, mi sembrava di andare a spasso con Dio.

Non parlavamo molto, stare con lui mi bastava. Siamo saliti sulla spider e siamo andati in gelateria. Non quella vicina a casa, siamo andati fino in centro a Milano. Il gelato era la meta, ma il vero piacere era andarsene in giro con l'auto senza capote in una città vuota.

Ho sempre avuto l'impressione che fosse l'unica cosa che gli regalava gioia.

Quando siamo arrivati ci siamo seduti e abbiamo ordinato il gelato al tavolo.

Lo ricordo come fosse ieri: il mio era in una coppetta di alluminio, ricoperta da un velo di condensa. Stracciatella, crema e cioccolato colavano fuori dappertutto, era un gelato enorme. Mio padre aveva preso la banana split, ricoperta di gelato, sciroppo di cioccolato e panna montata. Sopra, avevano infilzato un ombrellino di carta e una bandierina dell'Italia. Le sedie di plastica mi rigavano le cosce.

Mentre ero concentrato sul mio gelato, mi sono accorto che mio padre mi stava osservando: «È buono?».

Ho annuito.

«Ce la farai a mangiarlo tutto?» Era come se mi stesse chiedendo se fossi abbastanza in gamba per farlo, come se mangiarlo tutto fosse una prova da superare.

«Certo che ce la faccio.»

«Bravo, anche il mio è molto buono. Se non riesco a finirlo mi aiuti. Tieni, assaggia, dimmi se ti piace.» Mi ha allungato un pezzo di banana con cioccolato e panna.

Dopo, abbiamo fatto un giro lungo prima di rientrare a casa, siamo passati anche davanti allo stadio: «Una domenica ti porto a vedere la partita». Mi sono acceso, ero già eccitato all'idea.

Non ci siamo mai andati.

16

«Se non fai una cosa che ti ho chiesto di fare, me lo devi dire e mi devi anche spiegare il perché. Non aspetti che me ne accorga io.»

Stavo quasi gridando. La spider era molto rumorosa, anche se avevo gli auricolari facevo fatica a sentire, e soprattutto ero molto innervosito.

«Adesso ti saluto perché sto guidando» e ho chiuso.

Andrea mi ha detto: «Non trovi che oggi sia una di quelle giornate in cui ti senti felice solo per il fatto di essere vivo?». Si è guardato intorno e ha inspirato l'aria a pieni polmoni. L'ho fulminato con lo sguardo.

«Mentre sbraitavi al telefono, siamo passati in una zona piena di fiori di colori diversi, sembrava un quadro impressionista.»

Era una vita che mi perdevo le cose belle mentre ero occupato a gestire seccature.

«Posso dirti una cosa senza che tu te la prenda?»

Avevo ancora in corpo la discussione con il mio collaboratore, però non volevo sottrarmi.

«Non penso che il lavoro che fai sia quello giusto per te.»

Colpito. Questa proprio non me l'aspettavo.

«Secondo me quello delle assicurazioni non è il tuo mondo, non è la tua strada.»

"Che cazzo sta dicendo?" mi sono chiesto. Se c'è una cosa in cui posso dire di essere bravo è il mio lavoro.

«Sei il primo che me lo dice. A parere di tutti, non sono affatto male.»

«Non ho detto che non sei bravo, dico solo che, conoscendoti, non ti assocerei mai a quel tipo di lavoro.»

Secondo lui avevo perseguito quella strada proprio perché avevo visto che ero bravo, era un'opportunità e l'avevo sfruttata.

«Non capisco, onestamente.»

«Sei molto in gamba, Paolo, ma avresti fatto qualsiasi altra cosa con lo stesso entusiasmo, se ti fosse capitato. Perché per te ciò che è importante è essere bravo, e non esprimere te stesso.»

Sono rimasto in silenzio, era riuscito ad ammutolirmi. Non avevo mai pensato alla mia vita professionale da quel punto di vista.

«Sbaglio?»

«Non so cosa dire.»

Andrea mi ha incalzato di nuovo: «Ti piace quello che fai? Ti diverte ancora?».

Ho aperto la bocca per rispondere, ma non ho detto niente. Ho lasciato che la sua domanda mi cadesse dentro e svegliasse qualcosa.

Ho guidato per un'ora in silenzio, Andrea si è addormentato.

Alla stazione di servizio, mentre facevo benzina e aspettavo che lui tornasse dal bar, ho capito che aveva ragione, come una consapevolezza improvvisa: non avevo scelto il mio lavoro perché volevo fare proprio *quel* lavoro, non era il mio sogno da ragazzino. Era arrivato sul mio cammino, e quando ho visto che avevo delle potenzialità ho investito lì, ma mi sarei impegnato e avrei dato tutto me stesso anche in qualcos'altro.

Ho pagato e ho aspettato Andrea in macchina.

Quando è entrato e mi ha passato la bottiglia d'acqua, volevo dirgli che aveva fatto centro, come sempre, ma l'ho guardato e c'era qualcosa di diverso in lui. Il suo sguardo era fermo, freddo.

«Tutto bene?»

Mi ha mostrato il telefono.

«Non riesco a leggere, è troppo piccolo. Cosa c'è scritto?»

«Non posso avere figli, sono sterile.»

Non sapevo cosa dire, ogni parola mi sembrava stupida, inutile, inopportuna.

«Magari si sono sbagliati. Con gli esami capita spesso.» Mi è sembrata l'unica cosa sensata da dire.

Lui non ha commentato. È rimasto a lungo in silenzio, quando ha finito l'acqua ha accartocciato la bottiglia e se l'è buttata tra i piedi: «Marina mi lascia».

«Cosa dici?»

«Sicuro mi lascia. Ed è giusto così, non posso impedirle di diventare mamma, lo vuole tantissimo. Dovrei essere io a lasciarla, anzi la lascio. Quando torniamo la lascio.»

«Calma, calma. Non farti prendere dal momento. Nessuno deve lasciare nessuno. Prima rifai l'esame, fino al secondo esito non si prende niente come definitivo.»

«L'esito non cambia, lo so.»

Era abbattuto in una maniera che non avevo mai visto. Non sapevo se fosse perché non sarebbe stato padre o perché, per questa ragione, sarebbe finita con Marina.

Ha chiuso gli occhi e abbiamo viaggiato in silenzio, seduti fianco a fianco, per circa cinquanta chilometri. Credevo dormisse, invece di colpo ha detto: «Potremmo fare una piccola deviazione e andare a Pugnochiuso. Ci sono stato solo una volta con i miei quando ero bambino».

L'idea della deviazione mi disturbava. Avremmo perso un sacco di tempo e la tabella di marcia sarebbe saltata.

«Prima possiamo anche passare dalla Baia delle Zagare, è di strada.»

Andrea mi guardava e io mi sentivo bloccato come quando Alice mi chiedeva di andare a ballare con lei, volevo accontentarlo e allo stesso tempo fare tardi mi angosciava.

«Vabbè, lascia stare, ho capito.» Ha chiuso gli occhi come a dire che non avrebbe più parlato né domandato niente.

Dalla cassa è partita *Milestones* di Miles Davis. Ho alzato un po' il volume e me la sono goduta tutta, facendomi portare lontano.

Quando è finita ho parlato piano, quasi lo stessi dicendo a me stesso: «Da ragazzo Miles Davis andava nel bosco ad ascoltare gli animali e gli uccelli, cercando poi di riprodurne i suoni con la tromba».

Senza aprire gli occhi, Andrea ha detto: «Senti Paolo, io non discuto che tutti questi musicisti e cantanti siano stati dei geni. Però cazzo, uno si suicida, l'altro era alcolizzato, cocainomane, eroinomane e se ne va per i boschi a rompere il cazzo a quelle povere bestie. Possiamo ascoltare qualcosa che fa venire voglia di vivere? Ogni volta che metti la tua musica vorrei aprire la portiera e buttarmi dall'auto in corsa».

Ho riso. Ho pensato alla situazione delicata di Andrea, si meritava di sentire qualcosa che gli piacesse. Ho preso il telefono e ho cercato *Live Is Life* degli Opus.

Andrea si è alzato dritto sul sedile e ha cominciato a cantarla. Ridevo forte, con lui tutto stonato che cantava a squarciagola.

Abbiamo continuato così per una lunga serie di canzoni, tutte dello stesso tipo, selezionate in automatico: *Daddy Cool* dei Boney M., *Karma Chameleon* dei Culture Club, *Take on Me* degli a-ha, *Never Gonna Give You Up* di Rick Astley, *Everytime You Go Away* di Paul Young.

All'improvviso ho visto il segnale per il mare e ho sterzato.

Ha smesso di cantare e mi ha guardato, ero più sorpreso di lui: «Non dire niente. Facciamo un giro veloce e poi ripartiamo».

Guardando la strada davanti a sé ha detto: «Speriamo ci sia un ombrello nel baule, oggi grandina».

Poi ha fatto ripartire gli Opus da capo e ha cantato più forte di prima: «Na na na na na live is life na na na na na».

17

Andrea ha fatto delle foto e le ha mandate a Marina per mostrarle dove eravamo. Lei l'ha chiamato subito. Mentre le parlava si è allontanato. Mi sono chiesto se le avrebbe detto del test e come avrebbe reagito lei.

Mi sono guardato intorno, si vedeva la roccia a strapiombo sul mare. Dall'acqua blu, azzurra e verde sbucavano due enormi faraglioni, uno dei due aveva una cavità al centro che lo faceva assomigliare a un arco, come la porta di una vecchia città.

Quando mi trovo davanti a qualcosa di profondamente bello, mi sento sempre un po' triste, malinconico, come se venissi preso da una specie di nostalgia verso la vita.

Aveva avuto ragione Andrea a volersi fermare. Se avessi seguito il mio solito senso del dovere, mi sarei perso tutto quello che avevo davanti.

La bellezza, il piacere non sono mai stati una mia priorità. Forse, a furia di sentirla, avevo fatto mia la frase che ripeteva sempre mio padre: «Prima si fa quello che si deve, poi quello che si può e alla fine quello che si vuole». Ecco, io mi ero fermato prima della terza fase e avevo sempre messo tutte le mie forze e le mie energie sulla prima.

Forse per stare bene bastava solo fermarsi, sedersi e aprire gli occhi, come in quel posto. Dovevo accoglierlo, semplicemente essere presente.

Andrea mi ha raggiunto.

«Ti saluta Marina» mi ha detto. Ho avuto la tentazione di chiedergli se le avesse detto qualcosa, mi sono trattenuto, non volevo rompere l'incanto di quel momento che mi stavo godendo fino in fondo. Se si fossero parlati, me l'avrebbe detto lui.

«È davvero bello qui.»

Andrea mi ha guardato con stupore, poi mi ha dato una pacca sulla spalla. Siamo tornati di nuovo a contemplare quel paesaggio in silenzio.

All'improvviso il nostro sguardo è stato attirato dal passaggio di un cavallo, in cima alla scogliera. Era forte, fiero, libero.

«Sai a cosa penso quando vedo un cavallo?» ha detto Andrea.

Eravamo immersi in un paesaggio incantevole, che quasi ti faceva credere all'esistenza di Dio.

«Che annegano dal culo.»

Mi sono voltato verso di lui: «Cosa fanno?».

«Non riesco a non pensarci da quando l'ho scoperto.»

Non ero sicuro di voler continuare quella conversazione.

«Quando entrano in mare, siccome non sanno chiudere lo sfintere, imbarcano acqua e annegano.»

Mi sono voltato verso il cavallo e mi sono immaginato cose che avrei preferito non immaginare. E da quel momento sapevo che sarebbe stato così: ogni volta che avessi visto un cavallo, non avrei visto forza, potenza, eleganza, ma un animale di cinquecento chili che affoga perché non riesce a stringere il culo.

«Grazie mille, sei un vero amico. Hai rovinato tutto.»

Ci siamo alzati per rimetterci in viaggio.

«Prima di andare mi faccio un bagno.»

«Adesso?»

«Certo, adesso. Il mare è qui adesso, e noi domani siamo già diosadove secondo la tua tabella di marcia.»

«Sei pazzo, l'acqua sarà gelida.»

«Non fare la fighetta.»

«Tu fai come vuoi, io ti aspetto qui», e mi sono seduto su un sasso.

Ha tirato fuori due costumi dalla valigia, me ne ha lanciato uno.

«Sei non fai il bagno qui adesso, sei proprio una causa persa.»

Prima di buttarci, quando avevamo ancora l'acqua alle ginocchia, Andrea mi ha preso per un braccio: «Mi raccomando». L'ho guardato senza capire. «Ricordati di tenere il culo stretto.»

18

Siamo usciti dall'autostrada per cenare, Andrea voleva trattarsi bene. Ha usato una app che suggerisce i posti migliori dove mangiare in prossimità dei caselli.

La mia tabella di marcia prevedeva di dormire a San Benedetto del Tronto, dove avevo già riservato una stanza con cena inclusa. La deviazione per il mare aveva scombinato tutto. Saremmo arrivati in albergo dopo le dieci.

Fuori dal casello abbiamo imboccato una strada costeggiata da cipressi: «Sai perché ci sono sempre i cipressi vicino ai morti?».

Ho alzato gli occhi al cielo, come ad aspettarmi l'ennesima stronzata.

«Il cipresso ha le radici che si sviluppano in profondità, non in superficie. Così non interferisce con le persone sepolte.»

«Riesci sempre a stupirmi con questa tua cultura da rivista del bagno.»

«È lì che ho imparato le cose più importanti della mia vita.»

Dopo una ventina di minuti siamo arrivati davanti alla pizzeria che ci aveva indicato l'applicazione. Il posto non aveva nulla di caratteristico, poteva essere una pizzeria di una qualsiasi città.

Ci ha servito una cameriera giovane, in pantaloni e maglietta senza maniche. Quando ci ha portato acqua e pane, Andrea ha notato che aveva i peli sotto le ascelle. Lui lo trovava molto erotico.

«A me proprio non piace» ho detto.

«Ho chiesto anche a Marina di lasciarseli crescere, lei mi ha mandato a cagare.»

«Ci credo.»

«Una volta sono uscito con una ragazza tunisina, non aveva proprio peli sotto le ascelle perché sua madre le ha passato il ghiaccio da bambina. Pare che così non ti crescano.»

Cominciavo a dubitare delle storie di Andrea, i cavalli che annegano dal culo, i cipressi e poi questa dei peli. Avrei impiegato un secondo a verificare in rete, ho preferito non farlo e credere a quello che mi diceva.

Fortunatamente ha smesso di guardarla e siamo riusciti a parlare d'altro.

Quando sono arrivate le pizze, prima di attaccare la mia ho detto: «Ho trovato la risposta alla tua domanda».

«Quale?» Lui aveva già la bocca piena.

«Cosa mi piacerebbe fare se potessi fare tutto.»

Andrea mi ha guardato con un'espressione di gioia esagerata: «Aspetta che mi metto comodo» ha detto spostando il piatto che aveva davanti.

«È una cosa legata alle donne.»

Gli si è illuminato il viso: «Mi stai dando la prima soddisfazione del viaggio. Anzi, da quando ti conosco».

«Calmo, non è quello che pensi.»

Ha sospirato: «Che delusione, nessuno riesce a ferirmi così, neanche Marina».

«Allora: non mi manca andare a letto con altre, mi manca la cotta, quella di quando sei ragazzino. Sentire l'emozione che precede il primo bacio e quella dopo il primo bacio.»

«La cotta è bellissima» ha detto Andrea, che aveva ripreso a mangiare la sua pizza. «Il primo bacio pure, però dopo anche una bella scopata.» Ed è scoppiato a ridere. «Ti piace tutto quello che non sai dell'altra persona e quindi lo puoi immaginare, ci puoi fantasticare come vuoi.»

Forse aveva ragione. In quel momento è arrivata la cameriera a chiedere se era tutto a posto. Andrea ha aspettato che se ne andasse, poi ha appoggiato una mano sul mio braccio: «Lo devi fare, Paolo, lo devi fare adesso che siete separati, perché altrimenti non serve a nulla».

L'ho guardato con aria interrogativa.

«Devi andare a letto con una, ti aiuterà a capire molte cose. È per il bene di tutti, non solo il tuo.»

Non ero affatto d'accordo, ma sono stato zitto perché sapevo che se l'avessi contraddetto mi avrebbe elencato tutte le ragioni per cui invece sarebbe stato giusto e salutare.

Lui non voleva saperne di tacere. «A te» ha continuato «interessa troppo quello che la gente pensa o dice. Che ti frega delle critiche? Tu vai per la tua strada. I cani abbaiano, la carovana va.»

Era un detto che non avevo mai sentito, me lo sono ripetuto in testa, mi piaceva.

«Anche io vorrei essere come te. Quello che dice la gente non ti tocca.»

«Non è vero, io ci rimango male, eccome. Però non permetto a quelle voci di influenzare le mie decisioni. Faccio da solo, a volte la imbrocco, a volte la sbaglio. Quando la imbrocco mi do un abbraccio, quando sbaglio me ne do due perché ho bisogno di più affetto.»

Ho provato una tale tenerezza che avrei voluto darglielo io, il secondo abbraccio.

19

L'autostrada era quasi vuota, era il bello di guidare la sera tardi. Eravamo nei pressi di Pescara e se non ci fossero stati intoppi saremmo arrivati a San Benedetto nel giro di un'ora.

«Cos'è cambiato tra te e Alice?» Non c'era verso che Andrea mi lasciasse in pace.

Ho sbuffato. «L'elenco è lungo, mettiti comodo.»

«Dimmi la prima cosa che ti viene in mente.»

Ho guardato un istante fuori dal finestrino, si intravedeva la linea del mare all'orizzonte: «Mi tratta come se mi desse degli ordini. Quando glielo faccio notare mi risponde che sono io a costringerla a fare il poliziotto, perché l'ho lasciata sola a occuparsi della casa e di Tommaso».

Andrea ha strabuzzato gli occhi. «Pesante. Siete messi peggio di quello che pensavo.»

«Già. È arrivata a rinfacciarmi che scavalco il sacchetto della pattumiera.»

Mi ha guardato senza capire, con aria interrogativa.

«È successo che lei lo lasciasse davanti alla porta perché io lo portassi giù…»

Andrea mi ha interrotto: «E tu l'hai mollato lì?». Stava reagendo come Alice. «Non ci credo.»

«Ero sovrappensiero, avevo un appuntamento con un cliente rognoso.» Mentre mi giustificavo mi accorgevo di quanto fossi stato superficiale.

Non ha commentato ed è rimasto in silenzio. Pensavo che avesse finito, invece ha riattaccato: «E tu? Sei cambiato?».

Stavo ancora raccogliendo le idee per mettere insieme una risposta sensata, lui mi ha preceduto: «Dicono sia questo il problema principale delle coppie eterosessuali: la donna cambia sempre, l'uomo non cambia mai».

Ho sorriso.

«Allora dimmi una cosa di lei che non sopporti.»

Avevo l'imbarazzo della scelta: «Riesce a darmi la colpa di cose in cui non c'entro nulla. E poi vuole sempre avere ragione, mi ripete che capisco ma non comprendo. Che poi non so nemmeno cosa voglia dire».

«Ricordati, quando una donna ha ragione, ha ragione; quando un uomo ha ragione, è single.»

Abbiamo riso.

«Ti capita mai» gli ho chiesto «di dire la cosa sbagliata con Marina?»

«Conosci un uomo a cui non capita?»

La sua risposta mi ha rassicurato. «E poi, se le chiedi di dirti qual è la cosa giusta, s'incazza ancora di più.»

«Certo, ma su questo hanno ragione. Pensa alla frustrazione di dover dire al proprio uomo cosa vogliono sentirsi dire.»

Non mi aspettavo quella risposta.

«È un po' come mandarsi i fiori da sole.»

Ho riso, l'esempio rendeva benissimo l'idea. Mentre parlavamo, quelli che mi sembravano enormi, insolubili problemi si sgonfiavano sotto la luce di una leggera ironia. Davvero io e Alice non riuscivamo a fare un passo avanti rispetto a questioni così banali?

Andrea mi ha guardato. «Mio padre mi diceva sempre che le relazioni si decidono all'inizio, perché la pianta la raddrizzi quando è verde, dopo è troppo tardi.»

Mi chiedevo se per la nostra pianta fossimo ancora in tempo.

«Tu fai delle cose per lei?»

L'ho guardato. «Tipo? Regali?»

«Già il fatto che debba spiegarti cosa non è un buon segno.» Andrea ha abbassato il sedile. «Ti scoccia se mi distendo un po'?» Ho fatto un gesto con la mano, come a dire: "Fai pure".

«Macché regali, tipo che una sera torni a casa e la porti fuori a cena, perché hai organizzato tutto: prenotazione del posto, baby sitter per il bambino e lei non deve pensare a niente. Così la tratti da donna, non solo da mamma o da moglie.»

Gli è suonato il telefono.

«Ciao vita mia, come stai? Stavo giusto dicendo a Paolo quanto sei bella», e ha riso.

Non ricordavo nemmeno più da quanto io e Alice non ci parlavamo al telefono in quel modo.

Le prime volte in cui andavo via per lavoro, non vedevo l'ora di raccontarle tutto quello che mi capitava. La chiamavo perfino per dirle che il letto della stanza d'hotel era grande, perfetto per noi due. La sera facevamo telefonate infinite, fino a addormentarci insieme.

Sentivo la stanchezza salire, ormai non mancava molto.

20

«Alla rotatoria svoltare a destra» ha detto la voce del navigatore che ci stava indicando la strada per andare da mio fratello.

Da San Benedetto eravamo andati sparati, prima di pranzo avevamo già quasi raggiunto Zocca. Nicola abitava appena fuori dal paese.

Quando siamo arrivati, il cancello era chiuso. L'ho chiamato al telefono, era sorpreso: «Arrivo».

Dopo qualche secondo l'ho visto venirci incontro. Mi fa sempre effetto mio fratello, mi emoziona trovarmelo davanti in carne e ossa. Nel rapporto con lui è come se fossero racchiusi insieme tutti i sentimenti possibili, anche quelli opposti.

Aveva un sorriso enorme, ha continuato a sorriderci anche mentre girava le chiavi nella serratura del cancello. Andrea ha abbassato il finestrino. «Quando la mettiamo l'apertura automatica? Siete rimasti solo tu e la regina a Buckingham Palace ad aprire a mano.»

Nicola rideva. Appena siamo entrati, ha fatto un giro intorno alla macchina. Come me era stupefatto, non era cambiata affatto, era così come la ricordavamo.

Lui e Andrea si sono abbracciati dandosi pacche sulla schiena. «Eccolo qui» ha detto Nicola, «la leggenda, l'uomo che ha avuto più donne di Simenon.»

«E quante ne ha avute Simenon?»

«Più di diecimila, almeno diceva lui.»

Andrea ha fatto una smorfia. «Così è malattia, io sono sano.»

Nicola è scoppiato a ridere. «Sei in forma vecchiaccio. È la prima volta che vieni a trovarmi qui.»

Andrea si è guardato intorno. «La campagna mi mette tristezza. È piena di animali crudi.»

Io mi godevo lo spettacolo e aspettavo in piedi il mio turno. Nicola si è voltato verso di me e mi ha fissato dritto negli occhi, poi mi ha sorriso con tutta la faccia. «Fatti abbracciare.» E ci siamo stretti forte.

Finiti i saluti ci ha invitati a entrare, scusandosi per il disordine: «Ho avuto problemi con la caldaia. Gli operai sono andati via da poco, devono aver chiuso loro il cancello perché io lo lascio sempre aperto».

«Non hai paura dei ladri?» ho chiesto subito.

«In questa casa anche i ladri sono i benvenuti, tanto non c'è nulla da rubare, a parte la verdura nell'orto o le galline.»

La casa era come me la ricordavo, un magazzino pieno di attrezzi lasciati in giro per lavoretti che attendevano di essere terminati, assi da segare, teli di plastica sopra dei secchi, taniche di plastica tagliate che diventavano portaqualcosa o vasi per i fiori. Mio fratello è sempre stato così. Un trafficone disordinato con mille idee.

«Volete mangiare? Faccio una pasta?»

«Sto morendo di fame» ha risposto Andrea immediatamente.

Nicola si è dato subito da fare con pentole e ingredienti. Ha messo l'acqua sul fuoco e poi ha iniziato ad affettare un salame e una pagnotta. «L'ho fatto questa mattina presto. Ho usato delle farine della zona. Sentirete che buono, lo scaldo un attimo. Andrea, prendi del vino dalla credenza che sta dietro le tue spalle.»

«È buono?» ha chiesto lui mentre apriva le ante e studiava le bottiglie.

«Sono tutti buoni, ma soprattutto hanno delle belle etichette.»

Ho sorriso. Il progetto grafico era suo, quando si era trasferito da Milano si era tenuto qualche cliente, soprattutto del settore alimentare.

«Volete olio e parmigiano o faccio un sugo veloce?»

«Soffrittino e salsa di pomodoro ne abbiamo?» Come al solito Andrea aveva scelto per tutti.

Nicola ha iniziato a preparare cipolla e pomodoro. Chiacchieravamo come fanno le persone che si conoscono bene e non si vedono da tempo, senza imbarazzi né censure, una specie di aggiornamento sullo stato delle cose. Nicola ha chiesto ad Andrea se stava ancora con Marina. «Sorprendentemente sì, stiamo ancora insieme.» Mi è sembrato di cogliere un lampo di amarezza nei suoi occhi, forse era solo una mia impressione, forse Andrea non aveva pensato alla storia della fertilità. Ho capito di averci visto giusto quando Nicola ha lasciato cadere il discorso, anche lui aveva percepito qualcosa.

Ha fatto scivolare la cipolla tagliata nell'olio caldo, il profumo ha riempito la stanza.

«Metto il soffritto nella mia classifica degli odori preferiti» ha detto Andrea. Dopo qualche minuto Nicola ha buttato la pasta. «Vi ricordate la vacanza in tre in un furgone?»

«Quella in cui tuo fratello non voleva venire.»

Hanno riso.

Certo che non ci volevo andare, dieci giorni in Sardegna, chiusi dentro un furgone a dormire su un materasso matrimoniale, parcheggiando in posti isolati. La notte Nicola e Andrea si alternavano a dormire sul tetto del furgone, io sono sempre rimasto dentro, una sera con uno, una sera con l'altro. Già tenere il portellone aperto per fare entrare aria mi sembrava rischioso. Alla fine, però, è stata una delle vacanze più belle della mia vita.

Nicola ha assaggiato la pasta. «È pronta.»

Quando l'ha scolata, ne ho tolta un po' prima che ci mettesse il sugo di pomodoro. «Preferisco olio e parmigiano, non digerisco il soffritto.»

«Che due coglioni che sei» è sbottato Andrea.

«Sei rimasto uguale. Che meraviglia» gli ha detto Nicola.

Ci siamo seduti a tavola. In un attimo eravamo noi, i tre di sempre.

In quel momento hanno bussato alla porta, era un tocco breve e leggero, il bussare di chi avvisa che sta entrando. «Permesso» ha detto Daniela, quando è apparsa. Mi sono subito alzato per abbracciarla. Mi è sempre piaciuta, è una donna solare, divertente, con una massa di capelli ricci. È una di quelle persone a cui vuoi bene appena le incontri. Andrea l'aveva vista solo un paio di volte, ma questo non gli ha impedito di abbracciarla. Lui abbraccia sempre tutti, anche persone che conosce da poco.

«Nicola mi ha avvisato che sareste passati, e visto che stavo facendo una torta salata per Nina ne ho fatta una anche per voi.» Daniela ha aperto una borsa grande di stoffa. «C'è anche una marmellata.»

«Le sue marmellate sono le più buone del mondo» ha detto Nicola mentre le versava dell'acqua in un bicchiere. Non mi capacitavo di dove trovasse il tempo per fare anche le marmellate, visto che è un medico. Non la vedevo da un paio d'anni. L'ho guardata, non era cambiata affatto.

«Vieni nell'orto a dare un'occhiata ai pomodori? Secondo me hanno un parassita» ha detto Nicola. Daniela l'ha seguito fuori, a quanto pare era cintura nera anche di piante.

Appena sono usciti Andrea ha commentato: «Vanno più d'accordo di me e Marina».

«Di voi due non lo so, di me e Alice di sicuro.»

Lei e Nicola erano separati da tre anni. Quando le persone si separano, cercano di creare un territorio di pace, tenendo sotto chiave tutte le tensioni, soprattutto per i figli. Tra loro non era così, anche se Nina aveva appena sei anni, si avvertiva che non c'erano rancori da tenere sotto controllo. Sembravano due amici che si vogliono bene.

Prima che Daniela se ne andasse, Nicola ha avvolto in un tovagliolo di lino un pezzo del suo pane e gliel'ha infilato in borsa.

21

Dopo pranzo Nicola ci ha portato nel suo studio, era lì che dipingeva. Era un piccolo capanno in giardino, appena siamo entrati ho avuto la sensazione di stare nella stanza dei giochi di un bambino: c'erano colori e pennelli dappertutto, suoi lavori, alcuni finiti, altri incompleti. Nella sua nuova vita aveva ripreso a dipingere, una passione che aveva fin da ragazzino. Ogni tanto faceva anche dei lavori di decoro in alcune case, o ristoranti. «Mi sono trasferito in campagna con l'idea che non avrei saputo come riempire il tempo e invece adesso se non rifiutassi dei lavori sarei di nuovo sotto pressione» ha detto, mentre mi aggiravo tra le tele. Era ormai un paio d'anni che aveva lasciato Milano e l'agenzia. All'inizio mi era sembrato un azzardo senza senso, ora, a vederlo nella nuova sistemazione, non ne ero più così sicuro.

Nicola era stato un giovane imprenditore di successo, a inizio Duemila aveva messo in piedi una casa di produzione. Era stato innovatore, coraggioso, intelligente, e dopo anni di lavoro sfrenato era stato ripagato: l'agenzia era diventata una delle più quotate in Italia.

Poi, all'improvviso, un paio di anni fa, si è ammalato: una pleurite da cui sarebbe guarito, se l'avesse curata bene e in tempo.

Era già separato da Daniela, eppure era stata lei la prima ad allarmarsi, nonostante lui sottovalutasse tutti i sintomi. Alla fine, si era dovuto fare tre mesi a letto, senza la forza di alzarsi, né quasi di respirare. «Mi sembra di essere sott'acqua» continuava a ripetere in quelle settimane. Si aggirava per casa col bastone, non riusciva a leggere né a usare il telefono. Mi ero spaventato parecchio, e credo anche lui. Quando è uscito da quella malattia, era cambiato in un modo che ancora oggi non saprei dire. A lavorare in agenzia non è più tornato. Eppure era la *sua* agenzia, il suo gioiello, l'attività a cui aveva dedicato ogni energia, ogni pensiero, ogni minuto della sua vita negli ultimi vent'anni. Neanche la nascita di Nina l'aveva distolto dal lavoro.

E invece una mattina, come se fosse la cosa più semplice del mondo, era passato in ufficio da me e mi aveva detto: «Mollo tutto». E con "tutto" intendeva il lavoro, la sua casa, Milano. Voleva un'altra vita. Ogni volta che sentivo storie di questo tipo, di gente che aveva un lavoro con cariche e ruoli di prestigio e che lasciava tutto per andare a fare l'olio bio in Toscana o il vino bio nelle Marche, ero profondamente infastidito. Se scegli una strada, la porti avanti. Punto.

Quando avevo provato a dissuaderlo, aveva sempre avuto una risposta pronta, logica e sensata. Aveva già pensato a tutto: l'agenzia era stata promessa a un fondo, Nina e Daniela si sarebbero trasferite vicino a lui, anzi Daniela era felice perché si sarebbe avvicinata ai suoi genitori, che vivevano a Modena. Insomma, in un batter d'occhio si era già organizzato una vita altrove.

«Ma non hai paura?» gli avevo chiesto.

«Certo che ho paura, ma so anche che non ho scelta, ormai questa vita mi è diventata insopportabile.»

Lo guardavo e non capivo, sembrava fosse stato morso da qualcosa. Niente riusciva a fargli cambiare idea, anche perché se c'è una caratteristica di Nicola è che non conosce le vie di mezzo. Se c'è da fare un salto nel buio, lo fa senza rete e senza paracadute.

A giugno, dopo che Nina aveva finito l'anno, si sono trasferiti e io, senza che potessi prevederlo né immaginarlo, mi sono sentito terribilmente solo.

22

Quando siamo usciti dallo studio Andrea si è cambiato per andare a correre sulle colline. «Bella l'auto d'epoca, ma ho il culo e la schiena a pezzi.»

«Io non sento niente» ho detto, ed era vero.

«Perché sei di legno.»

Nicola ha riso. Gli ho proposto un giro con la spider, io e lui da soli: «Prendi, guida tu». E gli ho lanciato le chiavi.

Appena è salito, è rimasto folgorato dall'odore: «Incredibile, è quello di quando eravamo bambini». Anch'io lo avevo riconosciuto subito, ed ero stato ributtato di colpo indietro nella nostra infanzia.

Nicola guidava lento sulla strada di campagna: «Al papà prende un infarto. Ti ricordi quanto la amava? La lavava ogni fine settimana. Quando era in ferie il suo lavoro era spostare l'auto di qua e di là della strada per tenerla sempre all'ombra».

Me n'ero completamente dimenticato, abbiamo riso.

«Diceva che il sole la rovinava, era una vera ossessione.»

Nicola aveva il sorriso stampato in faccia; aveva ragione nostro padre, quell'auto regalava felicità.

Abbiamo fatto un giro sulle colline e prima che rientrassimo a casa gli ho raccontato quello che mi aveva detto papà, che quest'auto gli aveva dato gli anni più belli della sua vita: «Ci sono rimasto male. Non dovrebbero essere i figli a dare a un uomo la massima felicità?». Cercavo un'alleanza, un rinforzo da parte sua.

Nicola ha sorriso. «Non riesco proprio a immaginare la fatica di essere te.»

Mi sono sentito un idiota, senza sapere bene il motivo.

«Prendi ancora tutto sul personale, come se fossi tu il centro dell'universo di papà. Lui è come me e te, quelli erano gli anni più leggeri e spensierati della sua vita, è normale che li ricordi come i più belli.»

Aveva ragione.

Mentre guidava e si divertiva come se quell'auto fosse un giocattolo, ha aggiunto: «Le persone sono quello che sono, possono anche non piacerti, ma non devono fare quello che vuoi o che ti aspetti da loro».

Ogni tanto mi sembrava che azzardasse delle cose e ne parlasse come se fossero una verità, un dato di fatto.

«Abbiamo parlato molto quando sono venuto a trovarli l'ultima volta.»

Mi sono voltato a guardarlo, lui e papà avevano parlato e io non ne sapevo niente. Ho sentito un calore salirmi in faccia.

Nicola ha frenato di colpo per evitare un gatto che

aveva attraversato la strada all'improvviso, proprio davanti al cancello di casa. «Non c'eri perché dovevi lavorare, ti ricordi?»

Ho provato della gelosia, il fatto che io mi occupi di loro più di lui me li fa sentire più miei. So che è sbagliato, eppure è quello che sento.

In giardino, dopo aver spento l'auto, mi ha detto che lui e papà erano scesi in cantina a cercare delle vecchie cose e lì, in mezzo ai ricordi di una vita, gli aveva chiesto scusa per tutti i casini che aveva combinato in adolescenza.

«E lui?»

«Lui mi ha chiesto di perdonarlo per lo schiaffo della Prima Comunione.»

Siamo scoppiati a ridere, quell'episodio è un cult nella storia della nostra famiglia, l'avremo raccontato e ricordato un migliaio di volte.

Il giorno della sua Prima Comunione tutti i bambini camminavano seri e solenni nella navata della chiesa, così come gli avevano insegnato a catechismo. Nicola era così contento ed eccitato all'idea di ricevere il corpo di Cristo che saltellava gioioso. Quando ha preso l'ostia dal prete, si è voltato verso di noi e ha alzato le mani come se avesse segnato un gol. Appena è tornato a sedersi con noi sulla panca, mio padre gli ha rifilato un ceffone in faccia davanti a tutti. Nicola è sempre stato un bambino pieno di energia, di gioia, e in qualche modo mio padre sentiva il bisogno di domarlo, di contenerlo. Quel ceffone aveva mortificato tutti, anche mio padre. Nicola non l'aveva mai dimenticato.

«Finalmente giustizia è fatta» ho detto.

«È tutto qui, alla fine il papà vuole solo essere perdonato.»

Il pensiero di quello che era successo nel bosco, il giorno in cui era caduto e si era ferito il naso, mi ha colpito allo stomaco.

«Ecco, se vuoi fargli un regalo, più ancora della spider, digli che lo perdoni.»

L'idea che mio padre si considerasse un cattivo padre o si sentisse in colpa per qualcosa non mi aveva mai sfiorato. Mi è venuta la pelle d'oca su tutto il corpo, chissà quante altre cose nemmeno immaginavo di lui e dei suoi sentimenti.

Quando abbiamo aperto la porta di casa, le note di *Hotel California* degli Eagles risuonavano dappertutto.

«Hai dei dischi bellissimi» ha detto Andrea a Nicola, indicando un vecchio giradischi. L'ho riconosciuto al volo, era quello che stava in camera nostra.

«Funziona ancora?» ho domandato.

«L'ho fatto sistemare.»

Ho pensato che avrei voluto essere stato io a farlo aggiustare e tenermelo in casa.

23

Andrea era rapito dalla collezione di vinili di Nicola, li stava provando tutti. Quando è arrivato a Jim Croce, mi è sembrato di tornare nella nostra cameretta, con Nicola sdraiato sul letto a leggere e ad ascoltare musica.

Anche Andrea era immerso nei suoi ricordi, di tutt'altro genere però.

«Questo disco mi fa venire in mente Lucia», e ci ha mostrato la copertina di *No Secrets* di Carly Simon. «Ve la ricordate?»

Nicola ha annuito: «La ragazza bruttina, amica di tuo cugino. Ma perché ci sei andato a letto?».

Andrea ha fatto un sospiro, come uno che sta per rivelare una verità profonda: «Perché Lucia è il mio secondo nome preferito e ho pensato fosse un segno del destino».

Nicola ha riso.

«Ognuno di noi è finito a letto con qualcuno di cui poi si è pentito. Uno sbaglio lo abbiamo fatto tutti, così come possiamo essere stati lo sbaglio di qualcun altro.»

Mentre cercavo una seconda bottiglia di rosso da stappare, gli ho chiesto se si ricordasse con quante donne fosse stato in tutta la sua vita.

«Meno dello scrittore Simon.»

«Simenon» abbiamo detto in coro io e Nicola.

«Cosa provi quando pensi a queste donne?» gli ho domandato.

Ha bevuto un sorso di vino rosso, poi appoggiando il bicchiere sul tavolino ha detto: «Provo con tutte la stessa cosa». L'ho guardato per invitarlo a proseguire. «Provo a ricordarmi il nome.»

Siamo scoppiati a ridere.

Mi sono chiesto se io fossi stato lo sbaglio di Alice o lei il mio. Nicola mi ha preceduto: «Io di sicuro sono lo sbaglio di Daniela».

«Io invece per Marina sono la botta di culo.»

Nicola ha riso così tanto che gli è andato di traverso il vino.

Poi Andrea è diventato serio: «È bello il rapporto che hai con Daniela».

«Non è stato sempre così» ha risposto Nicola. «Ci sono stati momenti difficili. Per un lungo periodo ho avuto paura di non aver fatto tutto il possibile per salvare la relazione. Mi svegliavo alle tre di notte e non riuscivo più a riaddormentarmi. Ero assalito da mille dubbi. Soprattutto per Nina.» Ha fatto una pausa. «Ora sono perfino un padre migliore. Sono più appagato e questo mi aiuta a dedicarmi a lei in maniera diversa. E lei è più serena.»

La musica era molto rilassante e l'atmosfera leggera.

«Come mai vi siete lasciati?»

Ho guardato mio fratello per vedere come avesse reagito a quella domanda così diretta. Andrea non conosce il pudore, la distanza, il riguardo. Se una cosa gli passa per la testa la dice.

«Non lo so, di sicuro a un certo punto il nostro obiettivo era andare d'accordo.» Ha continuato spiegando che, quando le cose tra loro avevano iniziato a entrare in crisi, erano così dispiaciuti e spaventati che avevano iniziato a voler andare d'accordo a tutti i costi, evitavano il più possibile di litigare, di discutere, di parlare apertamente. Raccontarsi cosa non andava faceva paura. Avevano messo tutto sotto il tappeto e avevano iniziato a recitare la tranquillità, la serenità.

Subito ho pensato a me e Alice, e mi sono spaventato. L'avevamo fatto per anni.

Nicola si è versato un po' di vino e ha continuato a raccontare. Una sera era a casa solo con Nina, Daniela era uscita con delle amiche. Nina dormiva, lui era seduto sul divano e Daniela gli ha scritto di aspettarla perché stava tornando a casa. Si è alzato ed è andato a letto, pronto a fingere di dormire quando sarebbe arrivata. Sotto le coperte, con l'orecchio teso a cogliere il suo arrivo, si è accorto di non piacersi più. Non gli piaceva la persona che era diventato.

La mattina le ha parlato con totale onestà e ha scoperto che lei provava lo stesso. «In questa casa mi sento soffocare» gli aveva detto.

Erano le stesse parole che aveva usato Alice. «Come avete fatto a prendere quella decisione?» La domanda mi è uscita prima ancora che la pensassi, come se fosse fuggita da qualche parte dentro di me.

«Ci siamo arresi all'evidenza che lasciarsi era l'unica strada in quel momento, anche se era triste e faceva paura.»

Mi si è chiuso lo stomaco, avevo la gola secca. Non avrei mai avuto il coraggio di mio fratello.

Poi Nicola ha detto una cosa che mi ha spiazzato completamente: «Ci siamo lasciati per Nina. È stato pensando a lei che abbiamo trovato la forza di prendere quella decisione».

Avevo sempre pensato che uno dei collanti tra me e Alice fosse Tommaso, che fosse lui a tenerci insieme.

Nicola ha proseguito: «È importante sapere che tipo di genitori si desidera essere per i propri figli».

È seguito un lungo silenzio, in cui ognuno di noi stava passando in rassegna la propria situazione affettiva.

Sono tornato a pensare al fatto che forse per Alice ero io l'errore, che fosse ancora legata al suo ex e che in fondo io fossi stato un ripiego, dopo un uomo imprendibile che l'aveva fatta soffrire.

«Se Alice non fosse passata attraverso il suo ex, non mi avrebbe mai sposato.»

Mi hanno guardato sorpresi, di solito non parlavo mai del mio matrimonio. «Ero l'uomo tranquillo, affidabile, concreto, quello buono con cui fare un figlio.»

«A questo punto la domanda è: cosa hai trovato tu in lei?» ha chiesto Nicola.

Ho guardato Andrea, il suo sorriso si è fatto più grande, come quello di un alunno che conosce la risposta. «Una donna ferita da salvare» ha detto.

Ho incassato il colpo perché volevo andare avanti, magari qualcosa di giusto saltava fuori. «Secondo te cosa è andato storto?»

«Lei è guarita e tu non sei riuscito più a convincerla.»

«A convincerla di cosa?»

«Ad accontentarsi di un uomo come te.»

24

Erano mesi che non dormivo fuori casa, in un letto diverso dal mio. Mi mancavano Alice e Tommaso, soprattutto Tommaso. Da quando è più grande, capitano situazioni in cui mi commuove profondamente, momenti in cui lo scopro timido e fragile, vorrei aiutarlo e non sono capace. Come il pomeriggio in cui al parchetto è arrivata la compagna di classe che gli piace tanto e lui se n'è scappato a giocare lontano. Continuava a guardare verso di lei ma non trovava il coraggio di avvicinarsi. Mi si è sciolto il cuore.

Con Alice era tutto più complicato, macchinoso. A volte eravamo così sconnessi l'uno dall'altra che tutto doveva essere decodificato, le stanze si riempivano di significati da decifrare: ha chiuso la porta o l'ha sbattuta? Sta lavando il mio piatto rumorosamente per dirmi che lascio sempre in giro le cose sporche? In quei momenti dovevo stare attento a ogni parola e ricordarmi esattamente quali usavo, perché lei era bravissima a distorcere i miei discorsi e rivoltarmeli contro. Cominciavo a rivalutare le convinzioni di Andrea e Marina, forse davvero la convivenza faceva crescere una certa avversione verso l'altro.

Per questo spesso restavo zitto, il silenzio poteva essere una buona arma di difesa. E invece per lei anche questi silenzi erano una mancanza di interesse.

Forse sarebbe stato meglio litigare. Quando ci portavamo dentro delle cose, nella testa diventavano nuvole nere, e allora meglio un bel temporale, solo così poteva tornare il sereno. Quelle nuvole a volte erano solo paure.

Evitare una discussione peggiorava tutto, perché ci costringevamo a una muta tristezza e lentamente eravamo sempre più distanti, ognuno nel proprio angolino privato a rimuginare, a litigare nella testa dando risposte all'altro, un altro creato da noi che dice parole pensate da noi. Una vera follia.

Avrei voluto chiamarla, ma avrei voluto chiamare la Alice di qualche anno fa. Avrei voluto raccontarle tutto come faceva Andrea con Marina. Quella compagna, quella moglie non esisteva più. Durante i primi tempi, le prime discussioni, la prendevo per una mano o per i fianchi, le davo mille baci sulla bocca, sulle guance, sulla fronte, sul naso. Le chiedevo scusa, le dicevo che la amavo, che ero un idiota. Lei si dimenava un po', cercava di liberarsi da quel mio abbraccio, mi diceva di smetterla, ma alla fine rideva con me e si lasciava baciare. Non saprei dire quando ho smesso di fare questo gioco. Non ricordo con esattezza il giorno in cui per la prima volta mi sono voltato e ho lasciato la stanza.

Desideravo che dalla porta entrasse la Alice dei primi tempi, quella con cui era leggero e spensierato stare. Quando ho sentito bussare, mi è venuto un colpo al cuore.

«Posso dormire qui con te? Il letto della bambina è scomodo.»

Devo aver sussultato perché Andrea si è affrettato a dire: «Sto scherzando».

«Cosa vuoi?»

«Ho una cosa da chiederti.»

«Spara.»

«Ti va bene se domani mattina vado in paese e rifaccio l'esame dello sperma?»

«Non puoi aspettare quando siamo a casa?»

«Prima ho il responso, prima affronto la situazione anche con Marina.»

Ho capito che Andrea era preoccupato. «La pippa te la fai in ambulatorio o vuoi continuare la tradizione a casa degli altri?»

«Faccio qui, mi piace, mi fa sentire in tour come i Rolling Stones.»

Ho riso. «Vuoi che ti accompagni?»

«Mi porta Nicola, ha chiamato Daniela e mi ha organizzato tutto.»

Mi ha stupito scoprire che ne avesse parlato liberamente con Nicola e Daniela. «Se hai già pianificato tutto perché me l'hai chiesto?»

«Se tu avessi voluto partire subito, avrei disdetto.» Poi ha sorriso sornione: «Non avresti mai detto no, stiamo parlando della possibilità di avere dei figli, di vita, di futuro, di speranza».

«Veramente stiamo solo parlando di controllare il tuo sperma.»

Questa volta è stato lui a ridere.

25

Nel dormiveglia ho sentito l'allarme del telefono di Andrea. Sono rimasto a letto, visto cosa doveva fare in bagno. Ho lasciato che lui e Nicola uscissero, poi mi sono alzato.

Giravo per casa di mio fratello in mutande, con la tazza del caffè in mano. C'erano quadri dipinti da lui o comprati, c'erano libri ovunque e molte foto di Nina.

In bagno, appoggiata su un mobiletto, c'era una vecchia foto di Nicola, con me e la mamma. Eravamo a Varazze, in Liguria, partiti al mattino presto e rientrati la sera, una delle rare gite di famiglia. Ai miei genitori non piaceva dormire fuori. Nella foto la mamma stava al centro, io e Nicola ai lati. Invece di abbracciarci o tenerci per le spalle come avrebbe fatto qualsiasi altra mamma, lei teneva le mani alla cinghia della borsetta.

Non ci ha mai abbracciato molto, anzi, non ricordo che lo abbia mai fatto. Non l'ho mai vista abbracciare nemmeno mio padre, non li ho mai visti sfiorarsi, darsi una carezza, tenersi per mano.

All'epoca non avrei saputo dirlo, ma c'era qualcosa che mi mancava. Lo ricordo perché Nicola, durante una delle nostre litigate, per ferirmi aveva detto che ero stato adottato. Era stato così bravo da farmelo credere. E in quel momento tutto aveva preso senso: ecco perché mia madre non mi abbracciava, mio padre non c'era mai.

Alice spesso mi faceva notare che non l'abbracciavo, che non le prendevo la mano per strada e che anche sul divano quando guardavamo la televisione preferivo che non ci stessimo addosso. Con Tommaso mi ero sforzato, ma è difficile insegnare un alfabeto che non si conosce.

Nicola e Andrea sono entrati come un tornado. «All'accettazione c'era una ragazza così carina che a saperlo avrei fatto tutto là. Ho avuto anche la tentazione di buttare il vasetto e rifare da capo. Le avrei dedicato la performance.» Nicola ha sorriso.

«Colazione?» ho domandato.

«Fatela voi, la spider è in riserva sparata, la porto a fare il pieno e le faccio dare anche una controllata, il benzinaio sulla statale è un ottimo meccanico.» Nicola ha preso le chiavi dell'auto ed è uscito, ho avuto la sensazione che volesse guidarla ancora un po'.

Ho scaldato del latte per me e Andrea, lui ha preso il vaso dei biscotti dalla mensola. Erano fatti in casa, si capiva sia dalla forma che dalla consistenza.

Stavo scoprendo che mio fratello era diventato bravo in cucina.

«Mio padre si faceva latte e biscotti per cena» ha detto Andrea. «Che personaggio.»

Ho sorriso pensando a Gianni: «Diceva sempre che non ha mai amato nessuno come ha amato te». Avrei dato un occhio della testa per sentirmelo dire dal mio.

«L'unica persona che ha amato davvero è stata se stesso» ha detto Andrea senza sollevare gli occhi dalla tazza. «Avrei preferito averlo come amico.» Si è asciugato la bocca con un tovagliolo. «Sai cosa mi ha detto mia madre quando ha capito che stava per morire? "Mi spiace lasciarti qui da solo."» Non parlava con rancore, era sereno, come se parlasse di altri. Però era triste e la sua tristezza mi ha toccato.

Andrea ha sorriso, come se stesse ricordando qualcosa di bello: «La verità è che mi fregava sempre perché era simpatico e brillante. C'era poco, ma quando c'era era il migliore».

Anche dopo la morte della moglie, Gianni aveva sempre qualcosa da fare. Era addolorato, ma il suo amore per la vita non era stato intaccato da quella perdita, anzi, sembrava avere ancora più energia di prima.

A un anno dalla morte della moglie, Gianni aveva scoperto le crociere. Appena poteva partiva, anche solo.

Diceva che erano divertenti come le balere e poteva ancora avere una vita sessuale. «E quasi mai con la stessa donna» aveva tenuto a specificare.

Gianni è morto proprio durante una crociera e lo hanno tenuto sulla nave finché non è finito il viaggio. È morto a fine maggio ed è tornato dalla crociera a fine giugno.

Durante il mese in cui il corpo di suo padre era ancora a bordo, Andrea mi aveva detto: «Io qui al lavoro come un coglione e mio padre morto è in crociera ai Caraibi. Ti rendi conto con chi ho avuto a che fare nella vita?».

Secondo Andrea Gianni è morto per colpa del Viagra, l'infarto gli è venuto perché il cuore non ha retto alle richieste continue di performance.

Nel giro di quattro anni aveva perso sia la madre che il padre.

«Come si sta nel mondo senza genitori? Non deve essere facile.»

Ha riflettuto un po' prima di rispondere: «Ti sono mai capitate quelle notti in cui non riesci a dormire e quando arriva il mattino non capisci se sei sempre stato sveglio o se a tratti hai dormito?».

Ho annuito, avevo chiara quella sensazione.

«Ecco, all'inizio è così, vivi dentro una bolla, fai le cose e le dimentichi, e senza capire niente arriva la sera.»

Lo ascoltavo in silenzio, con grande attenzione.

«Il dolore non è costante, va e viene, a ondate. Poi ci sono momenti in cui penso che non sentirò più la loro voce, non li vedrò sorridere, non sentirò i loro abbracci e mi si chiude lo stomaco, sento tutto il dolore, la solitudine. Mi sento abbandonato.»

Fissava il biscotto mentre lo immergeva tre, quattro volte nel latte.

Abbiamo sentito la sirena di un'ambulanza passare davanti a casa e quel suono mi ha ricordato che avevamo una tabella di marcia e ancora chilometri da fare.

«Vado a prepararmi» ho detto. «Facciamoci trovare pronti quando torna Nicola, così partiamo subito.»

Quando mi sono alzato, ho avuto uno svarione, tanto che mi sono dovuto aggrappare alla sedia. In bagno mi sono seduto sul bordo della vasca, mi sentivo strano. Lo sguardo è caduto su una piastrella del pavimento: era tutta nera con dei sassolini bianchi messi in un modo che sembravano formare la faccia di un leone con un occhio strizzato. Ho immaginato che il leone stesse ammiccando e ho iniziato a ridere. Mi sentivo tutto caldo in faccia, e non riuscivo a smettere.

Andrea ha riso nell'altra stanza. L'ho raggiunto e quando ci siamo guardati ci siamo piegati in due dalle risate. Più lo sentivo ridere e più ridevo, più ridevo e più rideva lui. Una escalation interminabile.

«Ma che cazzo ci sta succedendo?» ha detto Andrea tra una risata e l'altra. In quel momento ho sentito un'auto in cortile. Continuavamo a ridere, ma in modo più controllato.

«Ho fatto il pieno alla spider e ho anche cambiato l'olio» ha detto Nicola entrando, poi ci ha visto: «Ma che avete?». Ha guardato il vaso, i biscotti erano quasi finiti: «Avete mangiato questi?».

«L'hai detto tu ieri sera, il latte è nel frigorifero, i biscotti sono lì.»

«Quelli sulla credenza, non questi sulla mensola. Sono biscotti alla marijuana.»

«Che cazzo dici? Sei scemo?» ho detto spaventato. Io non ho mai fumato una canna in vita mia, nemmeno una sigaretta.

«Quanti ne avete mangiati?»

Andrea aveva già ricominciato a ridere, io invece ero entrato in ansia.

«Quattro o cinque. È tanto?» Ormai ero terrorizzato.

«Porca troia, è tanto sì.»

«Cosa mi succede adesso? Rischio di morire?»

«Sì, dal ridere.» Nicola non riusciva a trattenere le risate.

«E adesso? Quanto dura? Come faccio a guidare?»

Mi ha guardato. «Per guidare aspetterei un attimo.»

Andrea continuava a ridere, non era affatto preoccupato.

«Te l'ho detto ieri sera che erano biscotti alla marijuana, non ti ricordi?» gli ha detto Nicola.

L'ho guardato. «Sei una testa di cazzo. Lo sapevi.»

In una frazione di secondo mi sono incazzato con tutti e due. «Siete dei coglioni, a fare ancora certe cose alla vostra età. Ma poi a lasciarli in giro così! E se li prende Nina?»

«Nina non si arrampica a prendere dei biscotti, e poi sa che quelli non può mangiarli.»

Nicola ha preso gli ultimi dal barattolo. «Aspettatemi, sto arrivando» ha detto mentre ne intingeva uno nel latte.

«Ma cosa fai? Uno lucido serve se succede qualcosa!» ho gridato, ero fuori di me.

«Come rompi il cazzo, Paolo» ha detto calmo Andrea.

Nicola mi ha assicurato che non ero in pericolo e che non sarebbe accaduto niente di grave.

Mi ha guardato ed è successo qualcosa: la parte di

me che ha sempre tenuto tutto sotto controllo è svanita, mi sono arreso alla situazione.

«Porca troia» ho detto. «Siamo completamente fuori alle undici del mattino.» E siamo scoppiati a ridere.

26

Ero sdraiato sul divano, il tempo era dilatato e im-
percettibile. Ho sentito un rumore strano. Ho aperto
gli occhi, avevo le palpebre pesanti. Mi sono voltato e ho visto Andrea davanti a un ventilatore acceso con la bocca aperta. Il rumore era il suono della
sua voce davanti all'aria.

«Cosa fai?»

Aveva gli occhi lucidi, ha spento il ventilatore e si
è seduto sulla poltrona davanti a me: «Non so cosa
stavo facendo. Forse cantavo, boh».

Nicola era in bagno e quando è tornato ha chiesto
ad Andrea se aveva più visto Valentina, una sua ex.
Nemmeno mi ricordavo più di lei, saltavamo da un
discorso all'altro senza nessun nesso logico.

«Non l'ho più vista. È l'unica a essere incazzata
con me.»

Nicola l'ha guardato.

«Si voleva sposare, io non ne volevo sapere. Quando avrà saputo che Sonia mi ha mollato sull'altare, si sarà ubriacata di gioia per una settimana.»

Abbiamo attaccato a ridere e siamo andati avanti per non so quanto. Nicola era dietro il tavolo della cucina, per cercare di farsela passare da solo. Mi sono sdraiato di nuovo sul divano e mi tenevo la pancia dal ridere, non riuscivo a respirare, Andrea era caduto dalla poltrona.

Volevo chiedere una cosa a mio fratello, era dal giorno prima che ci pensavo. In quell'ilarità ho trovato il coraggio: «Cosa intendevi ieri quando hai detto che vi siete lasciati per il bene di Nina? Di solito le persone fanno il contrario, stanno insieme per i figli».

Nicola ha aspettato prima di rispondere, come se gli servisse un tempo lungo per scegliere le parole e metterle in fila. Poi, ha parlato: «Abbiamo creduto che nostra figlia meritasse di conoscere la verità e non una recita quotidiana. E poi, non la volevamo a suo agio nell'infelicità, nella rinuncia, nella mancanza di coraggio. Era importante che Nina vedesse che non devono essere le paure a guidare le nostre scelte. Anche se un passaggio è doloroso, è sempre meglio scegliere l'onestà a se stessi». Nicola ha proseguito, sembrava che avesse riflettuto per anni su quella cosa: «Un figlio non fa ciò che il padre e la madre dicono, ma ciò che vede, ciò di cui è testimone nei loro comportamenti. Se un genitore testimonia la felicità, il figlio la desidera e cerca la sua strada per raggiungerla. Se invece un genitore testimonia che essere felici è impossibile e che accontentarsi è l'unica soluzione, il figlio vivrà secondo quella regola. Non esistono figli tristi di genitori felici. La tristezza di un figlio non appartiene a lui, non è sua ma è di suo padre o di sua madre. O di tutti e due».

Le sue parole mi sono entrate dritte nel cuore. In un istante ho sentito tutte le ipocrisie del mio rapporto con Alice. Le risate erano scomparse.

«Daniela è una donna intelligente, è questo che ha fatto la differenza» ha aggiunto Nicola. Ho pensato ad Alice, mi sono chiesto come si sarebbe comportata nella stessa situazione. È sembrato che Nicola mi leggesse nel pensiero: «Qual è la prima cosa che ti è piaciuta di Alice?».

Ho ripensato alla prima volta che l'ho vista e ho sorriso. Di solito nei film gli amori si incontrano durante un viaggio, a un matrimonio, a una festa, al supermercato. Noi due davanti al bagno di un ristorante.

Stavo a una cena di lavoro con un collega e due clienti. Ero riuscito a trovare la quadra a una questione su cui ragionavamo da giorni, persino il collega si era complimentato. Per enfatizzare il momento con un'uscita ad effetto, mi sono alzato per andare in bagno.

Era occupato e, mentre aspettavo fuori dalla porta, ho sentito un rumore di tacchi. Mi sono voltato ed è comparsa lei, vestito nero e spicchi di luna color oro sparsi un po' dappertutto, capelli lisci, lunghi, un viso perfetto, o almeno lo era per me.

Si è fermata a qualche metro e mi ha sorriso. Qualcosa mi ha colpito immediatamente, qualcosa che non sono mai riuscito a dire nemmeno dopo tutti questi anni insieme. Non erano solo il sorriso, gli occhi, i capelli, ma una cosa invisibile e misteriosa.

Ho ricambiato il sorriso e mi sono reso conto di essere in imbarazzo.

Nel ricordare il nostro incontro, ho capito una cosa che non avevo mai realizzato prima. Ho guardato Nicola: «Alice mi ha tolto ogni malinconia e ogni tristezza. È stato come se il mondo riemergesse da uno stato di indifferenza. Ha cancellato ogni ansia e mi ha permesso di vedere tutto per la prima volta».

In quel momento ho ritrovato la Alice sorridente, luminosa, lieve, magica del nostro primo incontro. Quella per cui valeva la pena lottare.

27

La mattina sono sceso in cucina e Nicola era già sveglio, anzi, per la precisione non era mai andato a dormire. Aveva dipinto nel suo studio.

«Riesci ancora a fare il dritto tutta la notte? Io se non dormo resto rincoglionito per giorni.»

Mi ha sorriso. «Sono abituato, poi magari oggi dormo tutto il giorno. Il caffè è già pronto, l'ho appena fatto. Ne vuoi?»

«Sì, grazie, senza biscotti però.»

Nicola ha sorriso, poi ha affettato del pane. «Lo scaldo e ci metto sopra una fetta di formaggio?»

Di solito non mangio mai salato a colazione, devo aver fatto una smorfia.

«Fidati» ha detto lui.

«E va bene.» Ormai mi stavo arrendendo su tutto.

Ha sorriso di nuovo: «Come va a casa? Tommaso come sta?».

Stavo per propinargli le solite cose, quelle che dico sempre a tutti, anche ad Andrea, che con Alice eravamo in crisi ma che tutto sommato stavo bene e che l'avremmo superata. Invece qualcosa dentro di me si è rotto. Nella tranquillità della sua cucina, dove tutto era calmo e leggero, perfino i suoni, perfino la luce, la maschera è caduta.

«Non va per niente bene. Tommaso non si è accorto di nulla, ma tra me e Alice è dura, questa volta non so se ne usciamo.» Avevo la voce strozzata dal pianto.

Nicola ha capito, ha preso una sedia e si è seduto davanti a me dall'altra parte del tavolo.

«Mi spiace.» Dal suo sguardo intuivo che stava sentendo ciò che provavo.

Il gatto è saltato sopra il davanzale della finestra, ci siamo voltati a guardarlo, ho approfittato di quel momento: «Mi ha tradito». Ho sentito una freccia squarciarmi il petto. L'avevo tenuto dentro di me per illudermi che fosse solo nella mia mente. I miei occhi si sono bagnati, ora che lo avevo detto era diventato reale. «Così adesso sai che la mia vita non è perfetta» ho aggiunto con un sorriso malinconico.

«Non l'ho mai pensato» mi ha sorriso a sua volta.

Lo stomaco mi si era chiuso, la faccia bollente, le mani sudate, esattamente come il giorno in cui Alice me l'aveva confessato.

Tutto quello che avevo spinto giù nel profondo, in un attimo era venuto a galla.

«Aspettami qui» ha detto Nicola, prima di uscire dalla cucina. Sono rimasto immobile, con addosso una sensazione nuova: mi sentivo nudo.

È tornato con un paio di scarpe da trekking, me le ha allungate: «Facciamo una passeggiata, voglio mostrarti una cosa».

Ci siamo incamminati lungo un sentierino dietro

casa sua. In cima a una collina abbiamo raggiunto un albero enorme con rami grandi e lunghi.

«È un castagno, uno degli esseri viventi più belli che abbia mai visto in vita mia.» Ha appoggiato una mano sul tronco. «Ho deciso di trasferirmi qui quando l'ho visto, volevo poterci venire ogni volta che mi andava.»

Ne parlava come di una persona, un vicino di casa a cui era legato.

Ci siamo seduti all'ombra dei rami frondosi. Ho preso un bastoncino, disegnavo cerchi e righe nel terreno. Sentivo una strana agitazione, un'ansia che cresceva. Ho avuto paura. Forse stavo parlando troppo di me e non ero abituato ad aprirmi così. Non mi ero mai messo in una posizione di fragilità come in quel momento di fronte a mio fratello. Nicola è sempre stato bravo con le persone, fin da quando eravamo ragazzini. Ha il dono dell'ascolto, lo fa con naturalezza e soprattutto non giudica.

«C'è qualcosa di sbagliato dentro di me e non ci ho mai voluto fare i conti» ho detto in un fiato.

Nicola si è alzato e mi si è seduto accanto, poi mi ha appoggiato una mano sulla spalla. Ho sentito un'onda di calore attraversarmi il corpo, era un gesto d'amore puro.

«Paolo.» Ha detto il mio nome ed era da tanto che non glielo sentivo pronunciare. Mi sono voltato, anche lui aveva gli occhi lucidi. «Il papà e la mamma sono due brave persone.» Ha fatto una pausa prima di proseguire. «Totalmente incapaci di godere, era come se essere felici fosse una vergogna. E questo l'hanno trasmesso anche a noi. Ti hanno mai fatto desiderare di vivere la loro vita?»

Ero del tutto spiazzato. «In realtà la mia vita non è poi così diversa dalla loro.»

Nicola ha sorriso. «Papà si è sempre sentito sconfitto ancora prima di tentare. È stato il terrore di essere come lui a farmi scappare, volevo salvarmi.» Non avevo mai pensato a mio padre in questo modo, eppure nelle parole di Nicola lo riconoscevo completamente. Mio fratello ha proseguito: «Ma forse non è nemmeno stato lui il mio più grande problema. È stata la mamma».

L'ho guardato, come poteva dire una cosa del genere? Mia madre era una donna mite, ci aveva accudito e curato in tutto.

«Con lei le cose sono sempre state meno chiare ed è stato difficile vedere il nodo con cui mi teneva legato.»

Ho protestato: «Sei ingiusto, non credo che le si possa recriminare niente».

Nicola ha sorriso un'altra volta, tenendomi la mano sulla spalla: «Non l'ha mai fatto apposta, ma se fosse per lei noi non saremmo mai dovuti crescere».

Non capivo: «Che c'è di male? È una cosa naturale».

«No, se la necessità di tenerci legati è più forte di ogni cosa, anche del nostro benessere. Lei ha bisogno di sentirsi madre perché senza quel ruolo è persa. Più noi siamo dipendenti, più lei si sente forte. Ci ha sempre tenuti in trappola. E tu ci sei ancora dentro.»

Ho ripensato a quando corro da lei ogni volta che mi chiama, al desiderio di avere la sua approvazione, al senso di colpa che mi prende quando mi dice che l'ho dimenticata; alla biancheria sporca della palestra. E ho visto i suoi sottili ricatti, la gabbia in cui mi ha rinchiuso.

«Anche Alice ci è finita in mezzo, perché tu continui a comportarti da figlio prima che da marito. La tua donna di riferimento è ancora la mamma, non Alice.»

Le sue parole sono arrivate lì proprio dove erano attese, e stavolta ero pronto a riconoscerle. Nicola aveva ragione su tutta la linea.

Siamo rimasti in silenzio, ogni tanto soffiava un venticello. Lo sentivo sul viso, tra i capelli. Portava qualcosa di buono dentro di me, una tregua.

Per un istante ho assaporato un senso di libertà e leggerezza che non ricordavo di avere mai provato. Tutto mi è sembrato chiaro, e ancora possibile.

28

Prima di entrare, Nicola è andato a prendere le uova dalle galline. L'ho accompagnato. Era strano vederlo così a suo agio nel pollaio, lui che era abituato a trattare con art director, grandi major e musicisti viziati.

«Tutto avrei immaginato tranne che un giorno avresti raccolto le uova fresche dalle tue galline.»

Ha riso.

In casa, ho tentato di mettere ordine, mentre lui preparava la colazione.

Andrea è entrato in cucina con uno sguardo scioccato: «È successa una cosa tremenda». L'abbiamo guardato entrambi in apprensione. «Mi sono svegliato, sono andato subito in bagno e ho fatto la cagata che faccio tutte le mattine da sempre, da quando ero ragazzino. Quando ho finito, mi sono voltato, perché prima di pulirmi e buttare la carta nel cesso mi piace sempre vedere quello che ho fatto, be'... non c'era niente. Solo l'acqua.»

Siamo scoppiati a ridere, poi Nicola gli ha chiesto se gli andavano delle uova fresche.

«Volentieri. Sono in super hangover. Due uova strapazzate e un paio di fette di pane tostato sarebbero il massimo. Hai ancora il formaggio di ieri?»

Nicola gli ha fatto il gesto di andare a sedersi e Andrea si è buttato sul divano, era in difficoltà dopo la giornata di ieri.

«Oggi in macchina ti farai una bella dormita, e io mi godrò un po' di silenzio.»

Ha alzato il dito medio nella mia direzione. Ho ripreso a lavare i piatti e i bicchieri della sera prima.

«Dopo il caffè vi aiuto» ha detto Andrea dal divano con una voce roca.

Quando è stato tutto pronto, ci siamo seduti insieme. Avevo già fatto colazione, ma non ho resistito al profumo del pane tostato di Andrea. «Mi faccio una fetta anche io.»

«Fanne due» ha detto Nicola, «ho un formaggio di capra fenomenale. Metto su un'altra moka nel frattempo.»

Andrea mangiava le sue uova e io e Nicola abbiamo rifatto colazione con pane tostato e formaggio di capra.

Era tutto saporito, gustoso, l'atmosfera era rilassata e senza tensioni. Siamo stati seduti a chiacchierare per più di due ore.

Ho fatto un paio di telefonate di lavoro e ci siamo preparati per partire. Mentre riempivamo la borsa, Andrea ha ricevuto un messaggio sul telefono: «Wow».

L'ho guardato. «Cosa wow?»

«Una mia vecchia amica sta tenendo un ritiro yoga qui vicino. Ci ha invitato a passare.»

«Non se ne parla, siamo già fuori tempo massimo. E poi come fa a sapere che sei in zona?»

«Ho fatto delle stories su quanto è dura la vita di campagna. Prima di dire di sì voglio assicurarmi di cos'è un ritiro yoga.»

L'ho guardato.

«Un mucchio di donne in tutine aderenti che fanno posizioni a culo per aria» ha proseguito lui. «Non sottovaluterei l'invito.»

«Andrea, no» ho risposto perentorio e lui ha incassato senza ribattere.

Nicola ci ha accompagnato all'auto. Ci siamo salutati con un abbraccio veloce e due pacche sulla schiena, come facciamo sempre. Ho aperto la portiera per salire, ma qualcosa mi ha fermato. Sono tornato da lui e l'ho riabbracciato. Avevo provato il desiderio di farlo e, invece di soffocarlo, l'ho assecondato.

«Grazie» gli ho detto mentre lo abbracciavo.

Nicola mi ha stretto più forte, e in quella stretta, con la voce soffocata, ha detto una cosa che non gli avevo mai sentito dire: «Ti voglio bene, fratellone».

Un brivido mi ha attraversato, ero emozionato e commosso.

29

Non so cosa avesse fatto Nicola, ma avevo la sensazione che il motore della spider girasse meglio, o forse mi ero abituato e la mia guida era diventata più fluida.

Sfrecciavamo sull'autostrada sotto il sole.

Andrea ha abbassato l'aletta e, mentre si sistemava un po' i capelli, ha detto sottovoce, quasi tra sé e sé: «Persone come loro dovrebbero parlare in televisione».

«Ma chi?»

«Nicola e Daniela. Pensa a quante persone potrebbero aiutare, sono l'esempio vivente di come ci si possa volere autenticamente bene dopo una separazione.»

Forse aveva ragione. Si è sistemato comodo sul sedile. «Anche tu e Alice dovreste andare in televisione, due persone che stanno insieme da anni e che al di là di qualche crisi si amano ancora.»

Ho avvertito subito un senso di disonestà nei suoi confronti. Non gli avevo detto di Alice perché volevo proteggerla, non volevo metterla in cattiva luce con lui. O forse in realtà volevo proteggere me stesso, perché avrebbe pensato che in tutti questi anni non avevo capito niente di lei.

«Alice mi ha tradito.» Ho parlato in modo secco e deciso, sapevo di lanciare una bomba.

Andrea si è voltato di colpo. «Mi stai prendendo per il culo.»

«È la verità.»

È rimasto in silenzio per riordinare le idee. «È crollata l'ultima delle mie certezze.» Ha bevuto un sorso d'acqua. «Ci vorrebbe un Gin Tonic, altro che acqua.» Poi si è lanciato la bottiglietta tra i piedi. «Ci è finita a letto una volta o ha avuto una storia?»

«Lei dice che si sono visti solo una volta.»

Ha scosso la testa. «Perché non me lo hai detto?»

Prima ancora di pensarci ho reagito d'impulso: «Mi vergognavo».

Mi vergognavo che in una coppia come la nostra fosse entrata una cosa così bassa e squallida come il tradimento.

Andrea continuava a fare lunghe pause. «E tu? Come stai?» Ha parlato guardandomi, la sua non era una domanda di cortesia.

«Non lo so, credo che tutti possano sbagliare nella vita. Per questo l'ho perdonata subito, appena me lo ha detto.»

Scuoteva la testa. «Significa che non l'hai perdonata per niente. Hai solo nascosto il problema sotto il tappeto per non affrontarlo.»

Forse aveva ragione, forse era per questo che in alcuni momenti guardandola sentivo salire un rancore che dovevo sforzarmi di trattenere.

Siamo rimasti in silenzio qualche minuto, poi ho deciso di dirgli anche il resto, ormai non aveva senso lasciare le cose a metà: «Ora siamo separati in casa. Mi ha chiesto una pausa per riflettere».

Andrea ha riso dell'assurdità: «Mi stai prendendo per il culo».

«È tutto vero.»

Era sempre più sorpreso e confuso, anch'io lo ero, in fondo. Non avevo proprio capito la storia della pausa. Avevo di nuovo lo stomaco chiuso e un sapore amaro in bocca.

«Siamo partiti tre giorni fa» ha detto Andrea «e pensavo che tu avessi un matrimonio perfetto, adesso scopro che sei separato in casa.»

«Hai visto che colpo di scena?»

Ha riso e mi ha dato una pacca sulla coscia. «Che bello, sei come noi, anche tu hai dei problemi.»

«Noi chi?»

«Noi adulti viventi.» Ha fatto un altro sospiro. Come al solito sdrammatizzava, e la cosa stranamente ha funzionato. Le emozioni cupe si sono dissolte.

Ci siamo ritrovati in un silenzio lungo, in cui mi sono lasciato trasportare dai miei pensieri e da tutti i discorsi che avevo sentito in quei giorni.

«Comunque sei uno stronzo» ha detto all'improvviso Andrea.

L'ho guardato per capire se fosse serio.

«Te lo dico con affetto ma lo sei, veramente.»

«E perché?»

«Perché io sono un tuo amico, non un conoscente.»

Lo guardavo senza capire.

«Quando ho un problema ne parlo con te perché so che ci sei e mi capisci. Se tu non fai lo stesso sei uno stronzo, perché vuol dire che non ti fidi, che mi tieni a distanza. Che non mi permetti di esserti amico.»

Le sue parole mi hanno gelato. Era deluso, il ragionamento non faceva una piega.

Ho guidato in silenzio per una cinquantina di chilometri, sentivo che eravamo assorti nei pensieri, ognuno i propri.

Andrea ha abbassato il finestrino per farsi accarezzare dall'aria fresca, e io ho fatto lo stesso.

«Bello, vero?» ha detto. «Aiuta a riflettere.»

«Ma che riflessioni, sono solo un vecchio che cerca di rimanere sveglio» ho risposto.

Siamo scoppiati a ridere.

«Lasciami guidare, sono più fresco, ho dormito fino alle dieci.»

Il "vecchio" Paolo avrebbe rifiutato, la spider aveva un'età e bisognava sapere come guidarla, tutte le macchine vecchie hanno dei piccoli trucchi. Invece ero davvero provato dalla giornata psichedelica e ho accettato.

«Buttati giù e fatti una pennica» ha detto Andrea prima di avviarsi.

Mi sono rilassato quasi subito. Stavo per addormentarmi, quando mi ha incalzato con una raffica di domande: «Mi hai detto come sta lei, e tu? Come stai?» mi ha chiesto di nuovo. «Sei ancora innamorato?»

Ho provato a imbastire qualche risposta, ma la mia testa era piena di confusione. Mi sono arreso al caos e a lui: «La verità è che non so più niente».

Non sono mai stato il tipo che si pone queste domande, non sono uno di quegli uomini che si svegliano la mattina e si chiedono se amano ancora la moglie. E a essere onesti, non m'interessava nemmeno avere le risposte, l'unica cosa che volevo era uscire da questa crisi. A me bastava andare d'accordo, non avere tensioni, che Tommaso stesse bene. E non avevo cambiato idea, neppure dopo aver scoperto che Alice mi aveva tradito.

Andrea ha interrotto il flusso dei miei pensieri: «Allora te ne faccio una più semplice. A questa dovresti saper rispondere perché è facile facile: sei felice con lei?».

Mi sono voltato verso Andrea. «E questa sarebbe più facile?»

Andrea era sinceramente sorpreso. «Cazzo, sì! Su "la amo, non la amo" si può anche essere confusi, ma se sei felice dovresti saperlo.»

Per me invece questa era una domanda ancora più complicata da indagare, perché non ho mai capito cosa sia la felicità. Ogni volta che me la sono posta non sono mai riuscito a trovare una risposta, come se la felicità non riuscissi a comprenderla del tutto, come se mi sfuggisse sempre qualcosa. «Non saprei dirti.»

Andrea ha riso. «Ma a parte le cose di lavoro, tu non ti chiedi mai un cazzo?» Aveva ragione, era come se, lavoro a parte, non fossi attrezzato per la vita.

Ho riso anch'io: «Hai altri quesiti o può andare così?».

Andrea ha finto di concentrarsi: «Ormai siamo ai titoli dei temi delle elementari, rimane solo: "Descrivi una domenica con i tuoi genitori"».

Ho sorriso, poi ho sbadigliato. Mi si chiudevano gli occhi dalla stanchezza. «Mi riposo qualche minuto, tieni d'occhio la spia dell'acqua.»

«Riposa, vecchietto.» E mi ha dato due pacche sulla gamba. «Ho pensieri importanti che mi tengono sveglio.»

«Quali?» ho detto con un filo di voce.

«Come ha fatto a sparire la mia cagata nel bagno di tuo fratello.»

Non sono riuscito a trattenere una piccola risata, ma il sonno era più forte e mi sono addormentato in meno di un minuto.

30

«Sai perché tua moglie ti ha tradito?»

La domanda di Andrea mi ha svegliato. Guidare doveva aver rimesso in moto tutta la sua attività cerebrale.

«Perché è stata debole? È caduta in tentazione?»

«Minchia, don Paolo della parrocchia della tristezza.» Ha alzato gli occhi al cielo. «Ma che c'entrano la debolezza e la tentazione? Tua moglie ti ha tradito perché voleva sentirsi viva, cazzo. Ti senti quando parli? Sei diventato un moralista che giudica le persone. Sbagliare è umano, solo chi striscia non inciampa.»

Mi sono rivisto in mia madre, una persona che condanna gli altri ai propri limiti; se sbagli, se sei debole in qualcosa, lei ti inchioderà sempre al tuo errore. Forse ero diventato come lei, o forse lo ero sempre stato, per la legge inevitabile della continuità genitori-figli. «Non sono mai stato un grande fan di tua moglie e lo sai» ha continuato Andrea, «però questa volta sono dalla sua parte. Se potessi parlarle sono sicuro che mi direbbe che è incazzata nera con te.»

Questo proprio non lo capivo. «Incazzata?»

«Sarà incazzata perché non la fai più sentire come l'ha fatta sentire quel coglione di passaggio. Si sarà chiesta: "Perché non è il mio uomo a guardarmi così, a parlarmi così, a volermi così?". Alice è ancora piena di vita, brucia di vita, e tutta quella voglia di vivere non sa dove metterla. Perché tu vuoi che sia una brava donna, una brava moglie, una brava mamma. Per te l'unica cosa che conta è essere bravi nel ruolo che ci si è dati. Hai rotto il cazzo, Paolo.» E qui ha fatto una pausa per prendere un respiro. «Sono sicuro che il suo tradimento è stato anche una provocazione, per metterti alla prova. Scommetto che il tuo perdono da buon cristiano le ha fatto cadere le palle a terra. Si aspettava che tirassi fuori i coglioni, che ti facessi sentire, valere. Che lottassi.» Ha fatto un lungo respiro prima di concludere l'arringa con l'ultima stoccata. «Mi sto incazzando io, immaginati lei.»

Il mio silenzio era pieno di tutti i pensieri che non avevo mai fatto, di tutto quello che non avevo capito, né immaginato.

Al primo autogrill Andrea ha svoltato. «Prendo un caffè, lo vuoi?»

Ho annuito e gli ho fatto cenno di fermarsi alla pompa, anche se non eravamo a secco, volevo fare il pieno.

Mentre facevo benzina il mio sguardo è rimasto catturato da una piccola pozza oleosa in cui si vedeva l'arcobaleno. La fissavo e in testa mi giravano tutte le parole che mi aveva appena detto. Più cercavo di fare chiarezza, più mi sentivo confuso, e questo mi costringeva a mettermi in discussione. Forse non ero la persona che credevo di essere.

Andrea è tornato con i caffè, devo avere avuto una faccia strana perché mi ha chiesto subito se stessi bene e l'ha fatto con un tono insolitamente dolce.

«Paura» ho detto.

Mi ha guardato senza capire.

«Mi hai chiesto cosa sento: paura. Non riesco a immaginarmi senza di lei, l'idea che mi possa lasciare mi paralizza.»

Ero davvero in difficoltà, Andrea mi ha appoggiato una mano sul braccio: «Ti ricordi la storia dei cavalli e delle donne, quella per cui, dopo averti sellato e messo le briglie, le donne perdono interesse?».

Ho annuito con un sorriso, era uno dei pezzi forti della filosofia di Andrea.

«La cosa pazzesca è che con Alice ti sei messo la sella e le briglie da solo e poi sei andato a sederti nella stalla a dormire. Lei invece ti sta chiedendo di essere ancora un po' vivo.»

«I cavalli non si siedono per dormire.»

«Quelli come te sì.» Abbiamo sorriso e mi ha abbracciato, un abbraccio veloce, imbarazzato. In fondo Andrea era un timido.

«Sai cos'è? Non ci capisco più un cazzo» gli ho detto. «Mi sembrava di aver sempre fatto le cose giuste nella vita, e adesso tutto mi si sgretola tra le mani. Non so cosa ho sbagliato e ho sempre una sottile, costante ansia.»

Andrea mi ha guardato. «È che non sempre esistono le cose giuste o sbagliate da fare.»

Ho risposto d'istinto: «No, devono esistere, altrimenti saremmo come animali».

«C'è una sottile differenza tra *distinguere* il giusto dallo sbagliato e il *decidere* cosa è giusto e cosa è sbagliato.»

Andrea mi aveva battuto sul mio terreno.

Ha accennato un sorriso di comprensione. «Sei umano, Paolo. Accettalo. E forse stai solo attraversando una crisi d'identità.»

«Più una crisi di mezza età» ho risposto.

«In realtà credo sia semplicemente andropausa.»

E poi è scoppiato a ridere.

31

Andrea ha ripreso la guida e appena ci siamo rimessi in carreggiata mi ha mostrato la schermata del telefono: «Senti qui: an-dro-pau-sa, sintomi: "perdita di concentrazione, bassi livelli di energia e affaticamento, cambiamenti di atteggiamento e sbalzi d'umore, depressione, calo di desiderio in generale, e soprattutto sessuale, problemi con la memoria e insonnia". Vedi? Non sei tu, ma la tua età».

Abbiamo riso, anche se quei sintomi me li sentivo tutti.

«Adesso ti svelo una cosa magica che mi ha liberato dalle paure sul futuro.»

«Sentiamo» ho detto in attesa della solita cazzata.

«Quando devo prendere una decisione e mi immagino scenari poco rassicuranti, per evitare di restare paralizzato dall'angoscia, mi faccio sempre una domanda semplice, che però riesce a sbloccarmi.»

Ero incuriosito.

«E se non fosse così?»

L'ho guardato poco convinto.

«Guarda che funziona.»

Mi sembrava una cosa un po' banale, da ragazzini.

«Prima mi hai detto che se ti lasciassi con Alice non potresti vivere. *E se non fosse così?* Se scoprissi invece di stare bene come è successo a tuo fratello?»

Andrea ha iniziato a fare un esempio dietro l'altro e così facevo io. Pensavo a situazioni e convinzioni, giocavo a metterle alla prova di quella domanda. Alcune la prova la superavano, altre invece crollavano. Aveva ragione, la domanda funzionava, faceva entrare aria in una stanza dove credevo non ci fossero finestre.

Andrea mi ha ricordato una vecchia storia, quella di Gloria, la mia prima fidanzata.

Avevo diciassette anni e lei frequentava la mia stessa scuola. Ero presissimo, con lei ho fatto l'amore per la prima volta. Siamo stati insieme circa due anni, poi un giorno mi ha lasciato all'improvviso.

«Sei venuto da me, ti sei buttato sul letto e hai attaccato a piangere. Non ti avevo mai visto così.»

Ero distrutto. Ricordo che il dolore era talmente forte che mi sembrava mi facesse male tutto il corpo, il petto, le ossa, la pancia, gli organi interni, la testa. La prima sofferenza d'amore. Pensavo che non mi sarei mai più ripreso. Ci sono voluti mesi, alla fine mi è passata.

«Sei sopravvissuto a Gloria, sopravvivrai anche ad Alice.»

Ho sentito un dolore nel petto, come un pugnale. «Non voglio sopravvivere ad Alice, non voglio che finisca.»

Lo sguardo di Andrea si è fatto combattivo. «Allora smetti di fare il marito comprensivo, accomodante, mollaccione.»

Ci stava andando giù duro.

«Se ti avesse voluto lasciare l'avrebbe già fatto. Non hai mai pensato che il suo potrebbe essere un tentativo di darti una scrollata? Smuovere le acque per vedere una reazione da parte tua? Per farti lottare?»

Ho tentato una difesa: «Mi sembra un modo un po' arcaico di vedere la coppia, le cose si sono evolute, non siamo più nella giungla dove il maschio deve combattere per la sua femmina».

Andrea ha sospirato: «Tu di donne non capisci un cazzo, lasciatelo dire. Alle donne non piacciono i "sottoni"».

«Io sarei un "sottone"?»

«Certo, al lavoro sei forte e deciso, e a casa ti fai mettere sotto, sempre. Scommetto che ad Alice questa cosa non piace per niente. In realtà non piace a nessuno. I "sottoni" hanno la carica erotica di una Birkenstock dimenticata in spiaggia.»

Ha accelerato, spazientito dal mio silenzio: «La prima a cui stai sotto è tua madre. È normale che a quarant'anni, quando era già chiaro che fossi quello su cui l'azienda puntava, le hai chiesto se era giusto che ti comprassi un'auto nuova? Mi sono caduti i coglioni quando me lo hai detto. E secondo me cadono anche ad Alice, ogni giorno».

Ho sentito una fitta. Andrea ha accostato e si è fermato a una piazzola di emergenza.

«Cosa fai?»

«Voglio guardarti bene in faccia. Sai cosa vuole Alice da te?»

Mi ha spiazzato, credevo di saperlo benissimo e invece avevo la testa vuota, ho detto la cosa più semplice e scontata: «Vuole sentirsi amata».

Andrea ha sorriso, con la condiscendenza che spesso si usa coi bambini: «Quello sicuro, c'è anche un'altra cosa che le donne desiderano, forse anche più dell'essere amate».

Mi sono spremuto il cervello, ma non usciva niente. Zero. Alla fine mi sono arreso: «Dimmelo tu».

«Lo sguardo. Vuole essere guardata, e vista. Vuole riconoscersi nei tuoi occhi.»

32

«Siamo arrivati.»

Ho aperto gli occhi, con tutti quei discorsi e quei pensieri in testa alla fine mi ero addormentato. Eravamo davanti a un cancello bianco in legno.

«Dove?» Mi sono guardato intorno.

«Benvenuto al ritiro yoga "Il loto nel palmo", dove mente, corpo e spirito vivono in armonia tra loro.»

«Che cazzo dici?» ho chiesto alzandomi di colpo sul sedile.

«Vedi come sei nervoso? Ti fa bene un po' di energia sana che rimette in armonia i chakra.»

Non riuscivo a capire se mi faceva innervosire di più trovarmi lì davanti a quel cancello o la faccia da ebete di Andrea. «Smettila di sorridere, gira la macchina e andiamo. Anzi, scendi che guido io.»

Ho fatto per aprire la portiera.

«Siamo venuti fino a qui, possiamo almeno prendere un tè matcha con la mia amica? Dopo, ti giuro, ripartiamo.»

«Ascoltami.» Cercavo di mantenere un tono calmo perché ero davvero incazzato. «Questa sera voglio essere a casa, perché domani voglio portare la macchina a mio padre come avevo programmato. Abbiamo già sforato di un giorno.»

«Benvenuti.» Una voce femminile mi ha interrotto, mi sono voltato e ho visto venirci incontro una donna sorridente.

«Sono Giada, tu dovresti essere Paolo.»

Andrea è sceso e si sono abbracciati. Sono sceso anch'io. Giada era alta, indossava dei leggings rosa confetto e un top dello stesso colore, aveva i capelli lunghi biondi raccolti in una coda di cavallo, e un profumo buonissimo.

«Sembri un'apparizione» le ha detto Andrea.

Lei ha sorriso senza dargli troppa corda. «Venite, il posto è incantevole.» E si è incamminata oltre il cancello. Ha visto che tenevo gli occhi sull'auto, non volevo lasciarla lì in mezzo all'ingresso. «Non ti preoccupare, mando qualcuno a portarla dentro.» Esitavo. «Sta' tranquillo, il ragazzo che mi aiuta è in gamba con le auto.» Alla fine le ho dato le chiavi.

Andrea si guardava in giro compiaciuto, eravamo lì da cinque minuti e già desideravo scappare.

In quel momento non sono stato in grado di dire nulla, di chiarire che saremmo ripartiti subito, ribadire che non ci saremmo fermati.

Siamo passati da un piccolo giardino curatissimo, pieno di piante di ogni tipo, tutte in fiore. Il profumo si spandeva ovunque e i colori erano meravigliosi. Sembrava un paradiso terrestre.

Nel salone della reception c'era un grande tavolo

con grosse damigiane di vetro, piene d'acqua e di frutta galleggiante.

«Volete acqua con limone, mela, cetriolo o zenzero? Abbiamo anche della kombucha.»

«Della che?» ha chiesto Andrea.

«Kombucha, è tè fermentato, una bevanda probiotica che aiuta a ripristinare l'equilibrio della flora intestinale. È anche buona.»

«Allora è da provare.» Andrea mi ha sorriso con quello sguardo ebete di chi aveva avuto la meglio. Sembrava che godesse del mio disagio. Non mi andava affatto quella roba probiotica, ma non riuscivo a contraddire Giada, non volevo turbare quell'alone di pace e armonia che si portava dietro.

Ci hanno servito due grossi bicchieri di un liquido color marroncino, già pensavo a come avrei potuto fare per evitare di berlo tutto.

«Perché non vi fermate a dormire? Ci sono tante cose belle da fare, massaggi, trattamenti con pietre, cristalli, campane tibetane.» Andrea le aveva già detto che non saremmo rimasti per la notte, e probabilmente le aveva anche detto che ero io a non voler rimanere.

Ho fatto un mezzo sorriso. «Non sono a mio agio con queste cose.»

«Devi solo chiudere gli occhi e rilassarti» ha risposto lei e mi è sembrato di cogliere dell'ironia nel suo sguardo. Poi si è rivolta ad Andrea: «Potete anche fermarvi solo per il pomeriggio, dopo ripartite.»

«Massì!» ha risposto lui entusiasta e mi ha posato una mano sulle spalle. «Due ore non ci cambiano la vita.»

Avrei voluto picchiarlo e trascinarlo in auto, invece me ne sono rimasto in piedi come un palo con un sorriso finto stampato in faccia.

«Devo sistemare una cosa e torno» ha detto Giada sorridente mentre ci mostrava le chiavi della spider.

Appena siamo rimasti soli ho deciso di parlare chiaro ad Andrea, senza alzare troppo la voce per non rompere la quiete di quel posto: «Questa volta si fa come dico io. Ci fermiamo un'oretta perché non voglio fare la figura dello stronzo con lei, ma poi ce ne andiamo. Se vuoi fare yoga o meditazione o quello che ti pare non c'è problema, tra un'ora io salgo in auto e vado». Nella foga, senza accorgermene gli avevo preso un braccio e glielo stavo stringendo.

«Più mi parli così, più capisco che ho fatto bene a portarti qui.» Si è liberato dalla mia stretta. «Rilassati, cazzo, adesso ti prenoto un trattamento con le campane tibetane.»

Mi è venuto da ridere, ma ho cercato di rimanere serio. Poi Andrea mi ha fatto sedere. «Finisci la tua kombucha», e mi ha messo in mano il bicchiere.

Quando Giada è tornata, il mio bicchiere era vuoto, senza quasi accorgermene avevo bevuto tutto. «Vi faccio vedere la stanza che vi avevo riservato, potete usarla come appoggio. Paolo, tra poco tu hai il primo trattamento.»

L'ho guardata. «Ma io non ho prenotato nulla.»

«Ho fatto tutto io.» Andrea non si toglieva quel sorriso idiota dalla faccia.

In pochi minuti ero dentro una stanza che profumava di agrumi, con candele e luce soffusa. La ragazza, prima di uscire, mi ha invitato a indossare il perizoma di carta appoggiato sopra l'asciu-gamano.

Mi sono guardato allo specchio, credo di non es-sermi mai sentito così ridicolo. Prima che potesse rientrare, mi sono sdraiato sul lettino e ho messo la faccia nel buco. L'ultima volta che ero andato a fare un massaggio credo ci fossero ancora le lire.

Prima di iniziare, mi ha chiesto se avessi dei punti dolenti e se desiderassi un massaggio rilassante op-pure uno più intenso. Non volevo soffrire e ho op-tato per il rilassante.

Sono crollato dopo cinque minuti, ho dormito così sodo che avevo perso della saliva dalla bocca. Pri-ma di girarmi, mi sono asciugato, sperando che lei non si fosse accorta di nulla.

Una volta a pancia in su, non sono riuscito a rilas-sarmi del tutto perché avevo paura di avere un'ere-zione. Non è successo, però non me la sono goduta.

Tornato nella hall provavo la stessa sensazione di quando avevo mangiato i biscotti alla marijuana.

«Non sembri tu» mi ha detto Andrea mentre si be-veva una birra seduto sul divano.

Ero stupito. «Ma servono alcolici?»

«Certo, mica siamo in un convento di clausura.»

«Tu che hai fatto? Massaggio anche tu?»

«Io sono stato da Ornella. Tra dieci minuti tocca a te, dopo partiamo.»

«No basta, per me va bene così, partiamo subito» ho protestato.

«Adesso è il mio turno per il massaggio. Se non vuoi andare da Ornella almeno resta qui ad aspet-tarmi.»

Mi sono versato dell'acqua con il limone e mi sono

accomodato sul divano, avrei controllato delle e-mail e lavorato un po'.

All'improvviso ho sentito un calore sulla spalla, un tocco piacevole. Mi sono voltato.

«Ciao Paolo, sono Ornella, vieni di là con me.»

33

Siamo entrati in una stanza, c'era una scrivania con due sedie e un lettino. Dalla mia espressione Ornella deve avere intuito che avevo delle perplessità.

«Sono un medico, Paolo. Se è questo che ti stai chiedendo.» Poi ha aggiunto: «Un medico un po' speciale. Mi sono interessata per anni alle medicine di altri Paesi e alla fine sono arrivata a un approccio olistico, che tiene conto di tante discipline».

La sua risposta mi ha tranquillizzato, in parte.

Mi ha fatto stendere sul lettino e mi ha visitato in un modo diverso rispetto a quello di tutti i dottori da cui ero stato. Mi ha osservato la pelle, la lingua, mi ha sentito a lungo il polso e il respiro, mi ha guardato dentro gli occhi.

«Secondo te il tuo corpo tende al caldo o al freddo?»

Mi chiedevo quale fosse la risposta giusta, nel dubbio ho risposto: «Tiepido. Forse».

Ornella ha sorriso, e ha continuato con la visita. Alla fine mi ha fatto rivestire e sedere di fronte a lei.

«Sei in salute, almeno grossomodo. Ti ho trovato secco, con i reni affaticati. Ma la cosa peggiore è che hai il diaframma completamente chiuso, respiri male.»

Stavo per dirle che mi sembrava un'idiozia, che io respiravo benissimo e mai nella vita avevo avuto problemi di quel tipo.

«Naturalmente questo ha una serie di ricadute su tutto il resto, per esempio sulla digestione e sulla capacità di concentrarsi. E alla fine anche sulla psiche e sulle emozioni.»

Ho ripensato all'ansia che provavo negli ultimi anni e alla mia situazione con Alice, con i miei genitori, con tutti.

«Io non sono uno stregone, né un'indovina. Semplicemente ti dirò delle cose che ti potranno poi servire per fare delle riflessioni. Quello che ti sembra utile e centrato lo tieni, il resto lo lasci andare.»

Forse potevo starla a sentire e magari trarne qualche spunto. Ornella era piacevole, come mio fratello, era una di quelle persone che ti fanno stare bene solo per il fatto di averle vicine.

Mi ha offerto della cioccolata fondente e il suo gesto ha aperto un piccolo varco, ho sentito che mi stavo rilassando.

Sono bastate un paio di domande perché mi lasciassi andare completamente. Le ho raccontato tutte le difficoltà e le durezze di quegli anni, le ho detto quanto fosse diventata faticosa la mia vita, neanch'io riuscivo a darmene una ragione, in fondo avevo tutto quello che desideravo e per cui mi ero speso.

Mi fidavo di lei, in modo del tutto spontaneo, e le ho raccontato cose intime che nemmeno Alice sapeva, neanche Andrea o Nicola.

Mentre parlavo Ornella prendeva note su dei fogli bianchi, parole che non riuscivo a decifrare.

Quando ho finito, ha aspettato prima di parlare. Mi ha guardato e mi è sembrato che nei suoi occhi ci fosse tutto l'affetto incondizionato che può avere un genitore. «Rispetto alla conoscenza di te stesso, stai viaggiando al contrario.» Non avevo idea di cosa significassero quelle parole. Ha continuato: «Come quando in treno ti siedi e il treno va nella direzione opposta. Più vai avanti negli anni e meno capisci chi sei».

Ero già in ansia. «E sarà sempre così? O la cosa si può invertire? Altrimenti a settant'anni non so neanche più come mi chiamo.»

Abbiamo riso insieme.

«Per qualche strana ragione hai iniziato a essere una persona che non sei, convinto che per gli altri fosse più facile amare questo te fittizio, piuttosto che il tuo vero essere.» Mi sono sentito fragile e nudo, ma non in pericolo. Ha continuato con voce calma e pacata: «I problemi, le crisi, le difficoltà che arrivano non sono lì *contro* di noi, ma *per* noi». Senza che le chiedessi nulla si è spiegata meglio: «Ognuno di noi è pieno di risorse che non sa nemmeno di avere, come un tesoro nascosto. Le difficoltà servono a darci la possibilità di scoprirlo».

Capivo ma non sapevo come avrei dovuto agire nella mia vita quotidiana: «Se tu fossi me, cosa faresti?».

Ha sorriso con una grande tenerezza. «Smetterei il prima possibile di voler essere sempre il più bravo, per lasciare spazio al vero te. Meno bravo, più vero.» Mi ha stretto appena un braccio. «Potresti rimanere sorpreso da quello che scopriresti di te. E magari anche da come reagirebbero gli altri, le persone che ti vogliono bene.»

Siamo rimasti in silenzio qualche secondo, la guardavo e non dicevo nulla.

Eravamo arrivati quasi alla fine del nostro tempo insieme.

«Voglio dirti un'ultima cosa e vorrei che l'ascoltassi con la massima apertura e disponibilità.»

Le ho sorriso, arrivati a quel punto tutti i miei pregiudizi o resistenze erano caduti.

«Quello che cerchi, quello di cui hai bisogno è già qui, non è nell'incontro con un'altra persona o in un obiettivo da raggiungere. È già presente. Non lo vedi perché la tua mente ti impedisce di farlo.»

Volevo davvero capire e le ho chiesto di essere più chiara.

«Immagina di essere in riva al mare, con i piedi nell'acqua a cercare una conchiglia. Non la vedi perché l'acqua è agitata, torbida. Eppure la conchiglia è lì, non devi andare da nessun'altra parte per trovarla. Bisogna solo permettere che l'acqua si calmi. L'acqua è la tua mente, i tuoi pensieri, i tuoi giudizi.»

Ho fatto risuonare le sue parole nella stanza vuota, volevo che s'imprimessero bene e a fondo dentro di me.

Ci siamo congedati, e quando ero sulla porta mi ha guardato. «Paolo, vai bene così come sei.»

Quelle parole semplici mi hanno toccato nel profondo, ho sentito un brivido lungo la schiena, i miei occhi sono diventati lucidi.

D'istinto l'ho abbracciata e qualcosa dentro di me

si è sciolto. Avevo lasciato che un altro essere umano mi vedesse veramente, e così com'ero andavo bene.

Verso la hall, mi sono accorto di provare una sensazione di leggerezza che non conoscevo, come se una stanchezza profonda e atavica fosse evaporata, se ne fosse andata.

Quando Andrea mi ha visto non ho avuto bisogno di spiegare, di dire troppo. Ha capito subito. Mi sono seduto accanto a lui sul divano.

«Ornella mi ha aiutato molto dopo la morte di mio padre.»

Ero sorpreso, non mi aveva mai parlato di lei, nemmeno un accenno.

«Se te l'avessi detto mi avresti preso per il culo, avresti pensato che avevo perso la testa, che andavo dagli stregoni con la palla di vetro.»

Aveva ragione, il vecchio Paolo l'avrebbe pensato.

«Vado nella stanza d'appoggio che ci ha dato Giada a cambiarmi per la cena.»

Andrea mi ha guardato in modo furbo e un po' provocatorio. «Non dovevamo partire subito?»

Non so cosa fosse, forse l'insieme di tutto quello che avevo vissuto negli ultimi giorni. «Ti raggiungo tra poco» ho detto senza lamentarmi o protestare. Forse era solo che stavo bene e mi andava di rimanere. E ho deciso di fare quello che mi andava, non quello che avrei dovuto.

L'ho guardato, non era affatto stupito dalla mia reazione.

34

A cena sedevo insieme ad Andrea, Giada faceva la spola tra i tavoli per controllare che tutto andasse bene. Ogni tanto si sedeva con noi per spiluccare qualcosa.

Andrea mi ha raccontato che Giada era l'opposto di come la vedevo ora: «Adesso è tutta shanti shanti namasté, prima era solamente sesso droga e rock'n'roll».

L'ho guardata aggirarsi tra i tavoli, la sua figura era aggraziata e leggera, ricordava più la Venere di Botticelli che Janis Joplin.

«Faceva quasi paura, andava giù pesante con tutto.»

«E poi cosa è successo?»

Andrea ha esitato: «Esattamente non lo so. È sparita per qualche anno e poi è ricomparsa totalmente cambiata».

Continuavo a guardarla. «Non riesco proprio a immaginarmela nella versione indemoniata.»

Andrea ha fatto un'espressione amara. «Le ho sentito fare una delle battute più belle e più ciniche della storia. Suo padre era un vero stronzo e lei continuava a dire che la sua morte era stata una liberazione per lei, che le aveva dato sollievo. Un amico comune le aveva fatto notare che, anche se era così stronzo, al suo funerale ci era andata un sacco di gente. E sai lei cosa ha risposto?» Mi ha guardato come se potessi indovinare la battuta. «Sono solo venuti ad accertarsi che fosse morto veramente, così ha detto. È sceso un silenzio e un gelo che neanche *Le cronache di Narnia*.»

Andrea ha riso, io non ci sono riuscito, mi immaginavo quanto dolore fosse nascosto dietro quelle parole.

«Adesso è diversa, sembra un'altra. L'unica cosa in cui è rimasta uguale è che è sempre una gran figa.»

Era di schiena, con le mani sulle spalle di due ragazze sedute, tutto il tavolo rideva.

«Quello non è un culo, quello è marmo di Carrara, il sogno di Michelangelo.»

L'occhio mi è caduto lì, subito mi sono voltato verso Andrea. «Sei proprio fissato.»

«Tu sei più da tette?» mi ha chiesto con tono allegro.

«Diciamo che guardo un po' tutto.»

«Sì, ma sessualmente ti piace?»

«Cosa?»

«Il culo delle donne, sessualmente ti piace?»

Sono rimasto spiazzato. Non lo avevo mai provato. «Non potrei mai chiedere a una donna una cosa simile.»

Andrea è scoppiato a ridere: «Non si chiede, ci si prova e basta. Come il dolce al primo appuntamento».

Mi ha spiegato che quando si esce con una donna all'inizio molte mangiano poco, un'insalata, cose leggere, perché non vogliono essere considerate ingorde. Quando chiedi se vogliono il dolce, rifiutano. Se però tu lo ordini, quasi sempre loro lo assaggiano. «Il culo e il dolce sono legati al senso di colpa e al giudizio.»

Sono rimasto a bocca aperta, non capivo se la sua fosse un'acuta forma di coglionaggine oppure profonda saggezza. Andrea ha trattenuto un rutto e si è alzato. «La prostata chiama.»

Mi sono ritrovato da solo al tavolo, pensando che Andrea era ancora in grado di prendermi alla sprovvista. Giada si è seduta al suo posto. «Davvero volete partire dopo cena? Perché non restate, avete una stanza bellissima. Domani mattina fate colazione e via.»

Non sapevo cosa dire. Non volevo pensasse che non mi trovassi bene lì.

«Devi fare qualcosa domattina presto o c'è qualcuno che ti aspetta?»

Alice e Tommaso erano dai nonni e avrei potuto portare l'auto a mio padre nel pomeriggio.

«Non mi aspetta nessuno. Tra l'altro sono separato.» Credevo di averlo pensato e invece l'avevo detto ad alta voce. Giada è rimasta zitta e un lieve imbarazzo è calato sul tavolo, ho avuto il terrore che potesse pensare che ero interessato. Ormai le mie reazioni non mi stupivano più, forse era il vero Paolo che cominciava a prendere il sopravvento.

«Hai ragione tu, non ha senso partire stasera» ho detto poi come se fosse la cosa più naturale del mondo.

Quando Andrea è tornato, lei gli ha comunicato subito la mia decisione.

«Vedo enormi cambiamenti, mi dai soddisfazione, amico mio.» E mi ha dato una pacca forte sulla spalla.

Giada si è alzata, sorridente. «Di solito la sera facciamo un fuoco in giardino e ci sediamo tutti lì intorno a chiacchierare. Vi va?»

«Certo!» ha risposto lui entusiasta, io ho sorriso.

Quando se n'è andata gli ho detto secco: «Vengo al fuoco e resto mezz'ora massimo, poi vado a letto. Domani alle nove si parte». Andrea è scoppiato a ridere.

Ormai non ero più credibile nemmeno ai miei occhi.

35

Il fuoco stava al centro del giardino e scoppiettava
dentro un grande braciere. C'erano una ventina di
sdraio, tutte occupate dai partecipanti al ritiro yoga,
io e Andrea siamo rimasti in piedi, insieme ad altre
ragazze. All'improvviso, come se ci fosse un tacito accordo, si sono ritirati tutti nelle proprie stanze,
la prima meditazione del mattino era molto presto.

Ci siamo sdraiati l'uno accanto all'altro. «Tra poco
vado a letto» ho detto ad Andrea. Lui non ha fatto
in tempo a rispondere perché Giada ci ha raggiunto
con una sua amica e collaboratrice, Roberta.

Si è seduta accanto a me e ha fatto un lungo sospiro. «Ho finito la giornata di lavoro, sono a pezzi e domani c'è il gran finale. Credo che mi farò un
Moscow Mule.»

«Fanne due» ha detto Andrea. «Tre» ha aggiunto
Roberta. Giada mi ha guardato, preso dall'imbarazzo ho detto: «Anche per me».

Siamo rimasti in silenzio a guardare il fuoco, credo che Giada e Roberta fossero molto stanche, io e Andrea invece molto rilassati. Dopo una decina di minuti, il ragazzo del bar ha portato i Moscow Mule.

Abbiamo chiacchierato e bevuto davanti al fuoco, l'atmosfera era calda, piacevole. Presto i bicchieri si sono svuotati. «L'unica cosa che non mi piace del Moscow Mule» ha detto Andrea «è che finisce subito. Farei un altro giro, che dite?»

«Il bar è chiuso adesso» ha risposto Giada. «Siamo svegli solo noi.»

Andrea si è proposto: «Sono maestro di cocktail, se mi dai il permesso, li faccio io». Roberta si è alzata in piedi. «Ti accompagno, così ti mostro dove sono le cose.»

Senza che capissi cosa stesse succedendo, mi sono ritrovato solo con Giada. Mi sentivo in dovere di fare conversazione, ma non mi veniva nulla da dire.

Abbiamo osservato il fuoco per un po', poi mi sono voltato verso di lei: «È molto che fai questo lavoro?».

«Sono entrata in questo mondo da circa cinque anni e da due ho iniziato a organizzare incontri del genere.» Ha fatto una pausa, poi ha proseguito: «Prima facevo tutt'altro, ero quasi un'altra persona, non so se Andrea ti ha accennato qualcosa».

Ho riso. «Qualcosa.»

Anche lei ha sorriso. «Ero molto incasinata.»

Ho lasciato che la risata si spegnesse. «E poi cosa è successo?»

«Quello che è successo a te oggi: un'amica ha insistito che provassi qualche corso, qualche trattamento. All'inizio non volevo, ero molto prevenuta e diffidente.» Mi ha guardato. «Come te.» Deve essermi comparsa in faccia l'espressione di chi è stato beccato con le dita nella marmellata, perché è scoppiata a ridere. E io con lei.

Ha continuato: «Ero così fuori luogo che alla mia prima lezione di yoga sono andata con gli occhiali da sole e i tacchi».

L'ho vista sopra dei tacchi vertiginosi e subito ho cercato di scacciare quell'immagine.

«Non è stato amore a prima vista, però col passare dei giorni mi sono accorta che quella pratica mi aveva fatto stare bene, aveva smosso qualcosa dentro di me. Piano piano la mia vita è cambiata totalmente.» Il suo sguardo si è addolcito. «Ho iniziato a pensare che sotto tutti i miei errori qualcosa ci doveva essere, una cosa buona da offrire agli altri. Niente di straordinario, non volevo cambiare il mondo. Quello che faccio ora mi gratifica, le persone vanno via di qui sollevate, alleggerite, con il sorriso sulle labbra.»

Siamo rimasti in silenzio, il profumo di legno aleggiava nel giardino.

«E tu?» mi ha chiesto. «A parte che sei separato non so altro.»

Sono rimasto pietrificato. Fino al giorno prima non avevo detto a nessuno della mia situazione con Alice, adesso quelle parole mi stavano tornando indietro dalla bocca di una semisconosciuta.

Ho sentito la necessità di dirle tutta la verità, su Tommaso, su Alice e su come stavano le cose tra di noi. Ho parlato con onestà, l'idea di separarmi mi terrorizzava e speravo che tutto si sarebbe riaggiustato alla svelta.

«E c'è un'altra cosa che non ho mai confessato a nessuno.» Ho fatto un grande respiro, come per prendere la rincorsa. «Anche il mio lavoro non gira più. I risultati sono buoni, anzi, migliorano sempre. Però non ho entusiasmo, spinta. Ho smesso di divertirmi.»

Giada mi ha sorriso. «Grazie» ha detto con dolcezza.

«Di cosa?»

«Di avermi fatto una confidenza così intima.»

Ho sorriso anch'io. «Insomma, sono bello incasinato.»

«Capisco il tuo disagio e le paure, forse potresti provare a prendere tutto con meno tristezza possibile. C'è un lato positivo: la vita si è riaperta a cose nuove. Non intendo una nuova compagna o un nuovo lavoro, semplicemente un modo nuovo di stare nelle cose vecchie.» Poi ha aggiunto: «Poter pensare una vita nuova è qualcosa per cui essere grati più che tristi».

Andrea è tornato con i nostri Moscow Mule.

«In tutto questo tempo avete fatto solo questi?»

«Prendete i vostri, io torno da Roberta, devo farle vedere una cosa.»

Giada ha scosso la testa sorridendo.

All'improvviso, all'idea che Andrea non sarebbe più tornato sono stato assalito da un'onda di imbarazzo.

Mi sono sdraiato e ho guardato il cielo: la luna piena era così luminosa che rischiarava il buio.

Giada si è girata su un fianco, io ho fatto lo stesso, potevamo guardarci negli occhi. Sul suo viso si muovevano le fiamme del fuoco.

Era dolce e delicata, eppure percepivo tutta la forza che le dava il sentirsi in pace con se stessa.

In quel momento, per la prima volta, l'ho desiderata.

Si è scostata la coperta dalle ginocchia. «È tardi, è

meglio che vada a dormire, domani sarà una giornata intensa.»

Le sue parole mi hanno risvegliato dal sogno a occhi aperti in cui ero immerso. «Ti accompagno.»

Abbiamo passeggiato in silenzio, davanti alla porta della sua stanza ci siamo salutati con un abbraccio.

«Sono stata bene, Paolo» mi ha detto, poi mi ha guardato in un modo che non sarei in grado di descrivere.

Sono rimasto imbambolato, immobile; mi sono voltato e me ne sono andato.

A ogni passo sul piccolo sentiero in pietra, cresceva dentro di me la convinzione che ci fosse qualcosa di sbagliato in quell'andarsene. Forse non avrei dovuto rompere l'intesa profonda che si era creata tra noi, forse avrei dovuto affidarmi a quello che sentivo e volevo davvero. E io non volevo andarmene.

Mi sono voltato e sono tornato indietro, guidato solo dall'istinto.

Davanti alla sua porta mi sono fermato, e se mi avesse respinto? Sono stato investito dai dubbi, forse era tutto nella mia testa e lei si era limitata a essere gentile con l'amico di un suo caro amico. In fondo era il suo lavoro essere gentile con le persone.

Mi sono voltato per andarmene e lei ha aperto la porta.

Ci siamo guardati: una bomba di milioni di farfalle è esplosa senza far rumore. Nessuna donna mi aveva mai guardato così. I suoi occhi mi inchiodavano.

Si è avvicinata, fino a sfiorarmi la bocca, ha esitato un istante e mi ha baciato.

Quel bacio è durato una eternità, non riuscivamo

a smettere. Senza staccarsi, mi ha preso per mano e mi ha portato dentro. L'ho fermata. Si è voltata, stupita.

L'ho attirata a me e l'ho presa in braccio.

Siamo entrati, con un piede ho chiuso la porta dietro di noi.

36

Con Giada ho fatto l'amore tutta la notte, due volte di seguito, non sapevo nemmeno di poterlo ancora fare. Non so dove abbia preso tutta quella energia.

Verso le sei mi sono rivestito per andarmene, la luce filtrava già dalle tende. In piedi sulla porta le ho dato un ultimo, lungo bacio.

Il sentiero di pietra che tagliava il giardino era bagnato dall'irrigazione automatica del prato, il verde dell'erba umida brillava lucido. Tutto era toccato dall'armonia, anche dentro di me. Mi sentivo leggero, sereno, aperto.

Negli ultimi anni mi era capitato di provare attimi di felicità: la felicità di sposare la donna che amavo, la felicità di diventare padre, la felicità di raggiungere traguardi professionali. Ma quello che ho sentito quella mattina era di un altro tipo. Era la felicità che si prova da ragazzi, quando ancora tutto deve iniziare, definirsi, decidersi. Era la felicità delle mille possibilità.

Ogni freno, ogni blocco, ogni resistenza erano saltati. E la cosa che mi stupiva di più era che non mi sentivo in colpa, per niente. Perché per la prima volta mi ero dato il diritto di essere felice, in libertà totale, anche sbagliando, qualunque fossero le conseguenze.

Sono passato davanti al braciere, era pieno di cenere. Ho rivisto Giada, le sue parole, le mie, le stelle, la luna, lo scoppiettio del fuoco. Ho inspirato l'aria frizzante dell'alba e ho sorriso. Ero felice e non ne avevo più paura.

In camera Andrea era buttato sul suo letto vestito, ha aperto gli occhi. «Guarda che faccia. Hai scopato, si vede lontano un chilometro.» Non volevo parlare di quello che era successo, avevo il desiderio di tenerlo ancora per me, di proteggerlo. Ho spostato l'attenzione su di lui: «Com'è andata?».

«Niente. Quando siamo andati nella sua camera, ha acceso così tante candele che ho avuto il sospetto mi volesse sacrificare a qualche divinità.»

Abbiamo riso.

«Siccome aveva due letti, ho dormito in uno dei due, volevo lasciarti la stanza libera in caso ti servisse.» Ha sorriso sornione. «Dài, racconta, voglio i dettagli.»

Mi sono sciacquato la faccia. «Andiamo a fare colazione? Ho fame.»

«Apre tra mezz'ora.»

«Allora c'è tempo per una doccia.»

Andrea mi ha appoggiato le mani sulle spalle, mi stava di fronte. «Sono fiero di me.»

«Di *me* vorrai dire?»

«No no, di me. È tutta opera mia.»

L'ho spinto via cercando di nascondere un leggero imbarazzo. «Comunque sono stanco morto e ho mal di testa. Mi sa che non reggo più l'alcol.»

«Ma che alcol, è la figa che non reggi più. Ma quando è stata l'ultima volta che hai scopato tutta la notte?»

Siamo scoppiati a ridere.

37

A colazione ho sbranato tutto come se non fossi in me: sono partito con un po' di frutta, pesche, prugne, uva, bananine, poi sono passato al pane tostato con uova, salmone e avocado, alla fine un caffè lungo e un cornetto. Sembrava che assaggiassi tutto per la prima volta, un'esplosione di sapori.

«Hai intenzione di tornare a Milano a piedi o andiamo sempre con la spider?» ha detto Andrea mentre guardava i miei resti nel piatto. «Non ti ho mai visto mangiare così di gusto.»

Alla fine abbiamo raccolto le nostre cose e siamo passati dalla reception, non volevo andarmene senza vedere Giada. Lei ci ha accompagnati fino all'auto, al momento dei saluti ho esitato, non sapevo se abbracciarla o darle un bacio. Mi ha tolto dall'imbarazzo stringendomi forte a sé. Quando ci siamo lasciati mi ha dato un bacio leggero su una guancia. Prima di partire, ci siamo regalati un ultimo sguardo tenero e dolce.

Per i primi chilometri io e Andrea abbiamo viaggiato ognuno immerso nei propri pensieri. Poi lui ha rotto il silenzio: «State proprio bene insieme». Non capivo se mi prendesse in giro o volesse stuzzicarmi.

«Credi che avrei dovuto chiederle il numero?» Ero già avvolto in una nuvola di leggera ansia. «Forse se lo aspettava, forse adesso pensa che volevo solo portarla a letto…»

«Fermati, ti stai già rimettendo in trappola. Non le devi nessuna spiegazione, se ti va di contattarla usi Facebook o Instagram, oppure ti do il numero io. Non si aspetta niente, Giada è una intelligente, che si è goduta il momento. Fallo anche tu.»

Aveva ragione. Eppure la girandola dei pensieri ossessivi si era già rimessa in moto. «Secondo te fa così con tutti o con me è stato speciale?» Non sono riuscito a trattenere la domanda, anche se nell'istante in cui l'ho fatta mi sono sentito un idiota.

«Certo che fa così con tutti, questa sera avrà un altro uomo per il gran finale.» Aveva ragione a non darmi corda, stavo diventando patetico.

Andrea deve aver colto tutta la mia ansia e aver avuto pena per me, perché ha aggiunto: «Ci ho provato per anni con lei, ma niente».

Gli ho sorriso, gongolavo. Il fatto di essere speciale, l'eletto, mi ha fatto sentire figo, uno stato nuovo per me.

Ho collegato il telefono alla cassa e ho fatto partire *Stupendo* di Vasco Rossi.

Andrea mi ha guardato stupito, poi mi ha dato una pacca sulla spalla e abbiamo cominciato a cantare a squarciagola, mentre l'aria ci accarezzava il viso e i capelli.

Sul più bello mi è squillato il telefono.

«Chi è che rompe?» ha gridato Andrea. Era mia madre, l'ho guardato, ho rifiutato la chiamata e abbiamo ripreso a cantare. «Grande!» ha urlato lui tra le risate.

È stato un gesto liberatorio, forse un po' stupido, ma mi aveva dato grande soddisfazione.

A canzone finita gli ho detto: «Adesso però la richiamo».

«Era troppo bello per essere vero», e mi ha allungato il telefono, sconfortato.

«Però almeno abbiamo cantato» ho detto, come se avessi fatto metà compito e cercassi di convincere la maestra che fosse un buon risultato.

«Paolo, sei incredibile» ha scosso la testa.

Ho fatto partire la chiamata: «Ciao mamma, tutto bene?».

C'è stato un silenzio in cui Andrea mi ha guardato preoccupato, deve essere stato per la mia faccia sorpresa, e un secondo dopo angosciata.

«Come in ospedale?»

38

Mio padre era in sala operatoria. Tutto quello che avevo capito dalle parole confuse di mia madre era che l'esito dell'intervento non era certo e c'era la possibilità che non lo avremmo rivisto più. Le ho chiesto di farmi parlare con un medico, ma medici non ce n'erano, e comunque dubito che mi avrebbero detto qualcosa mentre guidavo in autostrada per raggiungere l'ospedale. Ero riuscito solo a capire che le cadute, gli appannamenti, le sue confusioni momentanee erano delle piccole ischemie non diagnosticate, che avevano preceduto un grande tracollo. Come succede a volte con i terremoti, che sono preceduti da una serie di scosse minori, quasi impercettibili.

Noi non eravamo stati all'erta, ed eravamo arrivati del tutto impreparati a qualcosa che forse avremmo potuto prevenire. Questa idea mi faceva impazzire.

Ho spinto l'acceleratore al massimo, Andrea mi sedeva accanto e non parlava.

Ho pensato che forse non avrei più rivisto mio padre perché mi ero fermato con Giada.

La rabbia ha cominciato a salirmi in gola: non avrei dovuto ascoltare Andrea, farmi convincere, cedere a Giada. «Perché cazzo ci siamo fermati? Anzi, perché cazzo mi hai portato lì?» Mi tremava la voce dall'agitazione.

Andrea ha esitato, poi ha detto piano: «Come si poteva prevedere una cosa del genere?».

«Appena faccio una cazzata la vita subito mi presenta il conto» ho urlato.

Andrea restava fermo, solido. «Paolo, capisco che sei sconvolto, ma le due cose non c'entrano nulla, non sono collegate in nessun modo.»

In quel momento non ho capito più niente e ho vomitato fuori tutti i mostri che avevo covato per anni: «Quelli come te possono fare tutto nella vita e tutto gli viene perdonato. Quelli come me invece vengono puniti appena fanno una cazzata». Ero accecato dalla rabbia e da un senso di ingiustizia che mi perseguitava.

Andrea mi ha lasciato sfogare, poi, con tutta la calma del mondo, ha detto: «Ho perso entrambi i genitori da anni, quindi se davvero credi alle punizioni divine, non sono certo quello che le ha scampate».

Mi sono sentito una merda, non ero stato io a parlare, ma le mie paure e convinzioni più assurde.

Siamo rimasti in silenzio per tutto il resto del viaggio.

Mentre tiravo la spider al massimo, pregando Dio di non togliermi mio padre senza che io riuscissi a dargli nemmeno un saluto, il furgone davanti ha frenato e c'è mancato poco che gli entrassi nel portellone.

«Accosta» ha detto Andrea con dolcezza. «Guido io, così sei libero di rispondere al telefono. Anzi, forse dovresti chiamare tuo fratello e capire se tua madre gliel'ha detto.»

Mi ero totalmente dimenticato di Nicola, Andrea aveva ragione su tutto. Gli ho lasciato la guida e ho avvisato mio fratello. Mi ha detto che sarebbe partito immediatamente.

In poco più di un'ora eravamo sotto l'ospedale, Andrea è rimasto in auto, io sono entrato di corsa.

39

Quando sono arrivato mio padre era ancora in sala operatoria, mi sono seduto accanto a mia madre in una stanza dove l'avevano sistemata nell'attesa. Le ho chiesto se aveva mangiato, se aveva bevuto, mi ha guardato come se parlassi in cinese. Era completamente sotto choc.

Le ho portato qualche barretta e dell'acqua prese alla macchinetta nel corridoio.

Dopo un'ora è arrivato Nicola.

«Come fai a essere già qui?»

«Ho un album pieno di foto degli autovelox.»

Ha abbracciato mia madre e si è seduto con noi. Andrea ha fatto capolino alla porta: «Scusate, non voglio disturbare». Mia madre l'ha visto e ha sorriso. «Vieni Andrea.» Quando eravamo comparsi io e Nicola non aveva reagito con quel calore.

«Volevo solo dare le chiavi dell'auto a Paolo» ha detto lui rimanendo in piedi sulla porta.

«Non farti riguardi, sei di famiglia» ha aggiunto

lei. Ero incredulo, e forse anche Andrea, una frase così accogliente non era da lei.

«Tienila tu, non mi va di lasciarla parcheggiata fuori. Non si sa per quanto ne avremo qui.» Le ultime parole mi si sono strozzate in gola.

Ho sentito lo sguardo di Andrea come una carezza: «Se vi serve qualcosa, chiamami». Prima di uscire ha abbracciato mia madre delicatamente, come se stringendo avesse potuto romperla.

Ci siamo ritrovati di nuovo noi tre da soli. Per la maggior parte del tempo restavamo in silenzio. Quando parlavamo, le conversazioni si esaurivano subito: domanda, risposta, punto. Silenzio. Altra domanda.

Tutto era sospeso, la luce bianca, l'odore tipico dell'ospedale. Tutto sembrava stare fuori dal tempo, appartenere a un'altra dimensione.

A un certo punto mi sono accorto di non aver avvisato Alice. Mi sono alzato in piedi. «Esco un momento.»

Mi sono accostato a una finestra che dava su un piccolo giardino. L'erba alta non era stata tagliata e si era ingoiata le due panchine e il tavolo in pietra. Dall'alto riuscivo appena a intravederli come macchie grigie. Ho pensato che fosse incredibile quanto poco basta alla natura per riguadagnarsi gli spazi che le abbiamo sottratto. Forse anche dentro le persone c'era la stessa ostinata capacità di resistere, nonostante tutto.

Ad Alice ho detto quello che sapevo, ben poco. Nel suo modo pragmatico e lucido mi ha fatto notare che adesso che ero lì all'ospedale sarebbe stato più facile trovare un medico che potesse spiegarci la situazione.

Aveva ragione. «Quando torni?» le ho chiesto senza nemmeno pensarci.

«Mi organizzo subito per rientrare.»

Il solo sentirglielo dire mi ha rincuorato.

Mi sono seduto su una sedia in corridoio. Ero arrivato di corsa, trafelato, ed era come se in quelle ore mi fossi dimenticato di respirare. Ho inspirato ed espirato più volte, contando i secondi quasi a voler misurare la mia capacità polmonare.

All'improvviso ho desiderato Alice, ho desiderato averla lì accanto. Mi mancava.

Negli ultimi anni ero entrato dentro un vortice in cui continuavo a rimuginare su vecchie discussioni, vecchi litigi e non facevo altro che rivivere le stesse brutte emozioni, in un corto circuito continuo. E così, avevo finito per dimenticare le sue qualità, i pregi, quello che mi aveva fatto innamorare. In quel momento, di colpo, erano tornati tutti a galla, li vedevo luminosi e splendenti sulla superficie dell'acqua.

Con quella visione sul futuro, mi sono alzato e ho raggiunto mia madre e Nicola. Ho preso da parte mio fratello per non farmi sentire da lei: «Bisogna cercare un medico per capire cosa è successo». Ha annuito. In circostanze normali avrei insistito per prendere in mano la situazione, ma ormai non c'era più niente di normale e di consueto. Nicola si è offerto di cercare il medico di turno e io gliel'ho lasciato fare.

Quando è rientrato era pallido e mi è sembrato che gli tremassero le mani. Si è fatto forza per non spaventare mia madre e rassicurarla: «Bisogna aspettare che risalga, i medici non sanno niente». Poi mi ha fatto cenno di seguirlo in corridoio: «Il papà ha avuto un ictus che ha causato una massiccia emorragia cerebrale. È arrivato in ospedale quasi in fin di vita. Stanno tentando il tutto per tutto, ma non hanno idea di come si risveglierà, né se si risveglierà». È scoppiato a piangere, e mi è sembrato di rivederlo indifeso come quando aveva cinque anni e passava giorni interi a fissare il soffitto della nostra cameretta. L'ho abbracciato, lui ha appoggiato la testa sulla mia spalla e ha lasciato che lo calmassi.

Quando siamo rientrati in stanza da nostra madre, c'era con lei il chirurgo che aveva operato papà.

«Stavo dicendo a vostra madre che il signor Buelli è stabile. Abbiamo fermato l'emorragia, sistemato e ripulito tutto. Purtroppo però non sappiamo dire come sarà quando proveremo a risvegliarlo. Per ora è in coma farmacologico in terapia intensiva. Starà lì tutta la notte e domani proviamo a portarlo in stanza.»

A turno ci guardava per assicurarsi che avessimo capito. «Se avete dei dubbi, ditemi pure, sono qui.»

«È tutto chiaro, credo.» Avrei voluto fargli una sola domanda, ma sapevo che non avrebbe avuto una risposta, non era Dio, era solo un medico.

«Se posso darvi un consiglio, andate a casa e riposate. I prossimi giorni saranno impegnativi, e in ogni caso fino a domani non potete vederlo.»

Ci ha stretto la mano ed è uscito. Era stato formale ma caloroso, e chiaro nel dirci tutto. Non so perché mi sentivo sollevato rispetto a prima. Almeno adesso sapevamo.

Ho guardato fuori dalla finestra per capire che ore erano, il tempo era stato astratto e difficile da comprendere, non avrei saputo dire se eravamo lì da cinque minuti o due ore.

Nicola è andato con mia madre, avrebbe dormito a casa dei miei. Ci siamo salutati con un abbraccio frettoloso, per proteggerci dal dolore.

Dal taxi verso casa ho chiamato di nuovo Alice e le ho spiegato la situazione. Abbiamo deciso insieme che sarebbe arrivata il giorno dopo come da programmi, così da non agitare Tommaso. L'emergenza era rimandata di qualche ora.

Giravo per casa, dopo che ero mancato per qualche giorno ed ero del tutto scombussolato: ogni cosa mi sembrava estranea, un ricordo lontano e sepolto. Mi sono buttato sotto il getto caldo della doccia, sperando che mi calmasse e mi facesse tornare in me.

Prima di cenare, mi sono appoggiato sul letto un momento, ero a pezzi, anche fisicamente. Senza nemmeno accorgermene, ho chiuso gli occhi e mi sono addormentato.

40

La mattina seguente ce lo siamo ritrovato in camera. È stato un colpo, soprattutto per mia madre: la parte destra del corpo era paralizzata e non rispondeva a nessuno stimolo. Se ne stava immobile, a occhi chiusi, collegato a dei macchinari che mandavano bip a intervalli regolari.

Il medico ci ha spiegato che i danni permanenti si sarebbero visti solo con il tempo e che adesso stava ancora uscendo dall'anestesia. Non dovevamo allarmarci troppo. Era dura farlo capire a mia madre, lo guardava pallida ed era completamente disorientata. Nicola l'ha fatta sedere e le ha detto con dolcezza: «Dobbiamo solo aspettare».

Mio fratello aveva un'espressione tirata che non gli avevo mai visto, anche se faceva di tutto per sembrare calmo.

Io ero in preda a una sensazione di sospensione, di confusione e smarrimento che non mi aveva mai lasciato, fin dal giorno prima.

La mattina è volata, quel tempo vuoto non permetteva di averne una percezione reale. Sapevo di dover andare a prendere Alice e Tommaso alla stazione nel pomeriggio, era l'unico motivo per cui tenevo d'occhio l'orologio.

Mio padre intervallava momenti di flebile veglia a un sonno profondo. Anche quando apriva gli occhi, non capivamo se fosse presente, se ci sentisse.

Quando è entrato in camera il medico per controllare il suo stato, l'ho seguito in corridoio. C'era sempre quella domanda a tormentarmi, ma non avevo il coraggio di farla davanti a mia madre e Nicola: «Dottore, scusi» ho esitato un istante, «sopravvivrà?».

Mentre l'ho detto mi è sembrato che fosse finita l'aria e che non riuscissi più a respirare. Lui mi ha guardato, c'era della sincera comprensione nei suoi occhi: «Quelli come suo padre sono pazienti delicati, con un equilibrio molto fragile. Basta pochissimo a scompensarli». Mi ha posato una mano su un braccio. «Adesso suo padre è qui, e la può ancora sentire.»

Avevo avuto la mia risposta in un modo così delicato che anche il dolore mi era sembrato sopportabile.

Quando sono tornato in stanza devo aver avuto una faccia stravolta, perché subito Nicola mi ha chiesto se stessi bene e se c'era qualcosa che avrei dovuto dirgli. L'ho rassicurato e gli ho detto che di lì a poco mi sarei avviato alla stazione, c'era parecchio traffico e non volevo che Alice e Tommaso fossero costretti ad aspettarmi.

«Certo, vai» ha detto mia madre, mandandomi un bacio da lontano. Non la riconoscevo più.

Il treno doveva arrivare alle sedici e trentotto. Alle quattro e mezzo ero già in stazione.

Più si avvicinava il momento dell'incontro, più mi riempivo di paure. E se la pausa temporanea si fosse trasformata in definitiva? Se aveva conosciuto qualcuno come era successo a me? Mentre affogavo in quei pensieri, ho visto il treno arrivare. Subito dopo l'apertura delle porte, la banchina si è riempita di gente, la cercavo tra le teste che vedevo avanzare. Poi ho sentito qualcuno chiamare "papà", mi sono voltato e Tommaso mi è corso incontro e mi si è appeso al collo. Volevo piangere ma non volevo farlo davanti a lui, avevo paura che si spaventasse, così mi sono ingoiato tutte le lacrime.

«Lascialo respirare, Tommi, hai tutto il tempo di abbracciarlo.» Ho guardato Alice, c'era una dolcezza tale nei suoi occhi da farmi dimenticare la fatica degli ultimi anni. Avevo pensato e ripensato alle parole che avrei voluto dirle, che mi dispiaceva per noi, mi dispiaceva per quello che non avevo visto o che non avevo voluto vedere. E che però alla fine, nonostante tutto, io c'ero.

Il momento è stato più forte e ha spazzato via ogni discorso. L'ho abbracciata. In un attimo ho sentito l'odore famigliare della sua pelle, dei suoi capelli. Il nostro abbraccio è sempre stato un incastro perfetto. Eravamo di nuovo io e lei, i vecchi Alice e Paolo.

Quello che avevamo passato insieme era irripetibile e aveva creato un legame che non si sarebbe sciol-

to mai, anche se lei avesse trovato un altro uomo e
io una nuova compagna.

Ci siamo guardati negli occhi e ci siamo avviati
all'uscita.

41

Ho sempre fatto fatica a dormire seduto, anche in aereo dormo male e poco. Quando sono stanco sento proprio il bisogno di sdraiarmi. Avevo gambe e piedi gonfi, mi sono alzato e ho guardato fuori dalla finestra, le luci dei lampioni illuminavano il grande parcheggio semivuoto.

Mi ero offerto di fare la prima notte e avevo mandato a casa Nicola e mia madre.

L'ospedale era immerso nella quiete e nel silenzio, ho guardato l'orologio, erano le ventitré e quarantacinque. Da lì a poco sarei entrato nelle ore più confuse e impalpabili della notte.

Ho guardato mio padre, il suo respiro era sottile. Ho sorriso pensando a come fosse strana la vita. Quarantott'ore prima stavo facendo l'amore con una donna che avevo appena conosciuto, la prima donna che non fosse Alice dopo più di dieci anni, e ora ero in ospedale a vegliare mio padre.

Mi sono apparse alcune immagini di Giada, della meravigliosa notte passata insieme; eppure, invece di farmela desiderare ancora, ho sentito più forte la voglia della mia vita di prima, quando le cose tra me e Alice andavano bene. Perché non c'era niente al mondo di più potente e bello di quando tra me e Alice le cose giravano. Alice mi mancava ancora di più.

Ho appoggiato la testa al vetro e mi sono goduto il freddo sulla fronte.

All'alba ha iniziato a filtrare la luce. Mi sono svegliato, subito ho controllato mio padre. Aveva gli occhi aperti, teneva lo sguardo fisso davanti a lui.

«Buongiorno» ho detto. Ha mosso le labbra dalla parte sinistra, ma non è uscito nessun suono.

C'era calma, la luce che entrava era delicata e rendeva tutto più tenue. Mio padre sembrava sereno, non dava l'idea di soffrire, e nemmeno di avere paura.

«Vuoi dell'acqua?» gli ho chiesto. Ho letto un "no" sulle sue labbra.

Ho cominciato a parlargli, sottovoce. Gli raccontavo di Tommaso, di Nina, di Nicola e di Daniela, volevo risvegliare il suo interesse per la vita. Lui era altrove e non sembrava nemmeno ascoltarmi. Ho taciuto e sono rimasto a guardare la luce che illuminava le lenzuola bianche. Il mio sguardo è caduto sulla sua mano, quasi non la riconoscevo, era fine, candida, con le unghie rosate.

Avrei voluto appoggiare la mia sopra la sua, ma qualcosa mi ha trattenuto, una rigidità, un pudore, la mia incapacità di manifestare tenerezza.

Forse non riuscivo ad appoggiare la mia mano sulla sua perché lui non lo aveva mai fatto con me. Forse se mio padre mi avesse preso per mano avrei attraversato la vita in maniera più disinvolta, più sicura. Forse avrei avuto meno paura del mondo, tutto sarebbe stato più leggero.

Mio padre aveva il cuore buono delle persone semplici, ma teneva tutto chiuso da qualche parte dentro di sé.

Mentre pensavo a queste cose, si è voltato e mi ha guardato.

Mi sono tornate in mente le parole di Ornella, ho avvertito che la stanza era piena d'amore e l'amore era sempre stato lì, come la conchiglia sotto l'acqua.

In quella stanza, ai confini tra la vita e la morte, ogni cosa appariva in maniera diversa: i dolori, le incomprensioni, le mancanze non esistevano più, ora anche in quelle c'era bellezza.

L'ho guardato e lui mi ha sorriso, un sorriso sghembo, a metà, con una innocenza tale da farlo sembrare un bambino. Ho creduto che il cuore mi esplodesse.

In quel momento c'eravamo solo noi, io e lui. C'era la complicità che avevo cercato e atteso per tutta una vita.

Non era perfetta, ma era vera.

Con un movimento che non ricordo di aver pensato, ho appoggiato la mia mano sulla sua.

42

Quando sono arrivato a casa, erano le dieci. In cucina ho trovato Alice che parlava con Andrea, mentre mi preparava la colazione.

«Siediti, è tutto pronto» ha detto, prima di andare da Tommaso e lasciarci soli.

Andrea mi ha dato le chiavi della spider. «L'ho parcheggiata nel garage a pagamento dietro l'angolo, non volevo lasciarla in strada.» Mi ha guardato. «Come stai?»

«Sono dentro una bolla, non ci capisco niente.» Si è avvicinato e mi ha abbracciato con delicatezza. «Paolo» ha detto mentre ancora mi abbracciava.

«Che c'è?»

«Ho ricevuto l'esito delle seconde analisi.»

Mi sono scostato per guardarlo. Non parlava. «Allora?»

«Ho cestinato l'email prima di aprirla.»

Non capivo. «Ma come?»

«Marina è incinta.»

Mi sono seduto senza smettere di guardarlo.

«Ho deciso così.»

«Sei sicuro?»

«Come dice tuo fratello, i figli sono di chi li cresce.»

Andrea aveva la saggezza di trasformare ogni ostacolo in un'occasione. L'ho guardato e ho rivisto tutto quello che avevamo vissuto negli ultimi giorni: «Grazie. Di tutto».

Il solito pudore che mi impediva di dirgli certe cose si era dissolto. Ci siamo sorrisi per qualche secondo. Era felice, si vedeva dalla sua espressione.

«Cosa c'è?» Alice è entrata in quel momento.

«Andrea diventa papà.»

Si è portata le mani alla bocca dallo stupore, poi si è commossa e l'ha abbracciato.

Quando Andrea se n'è andato, lei mi ha detto: «Vai a stenderti un po'. Io porto Tommaso dagli zii e se ti va pranziamo qui insieme». Ero sorpreso, non sapevo cosa aspettarmi. Mi ha guardato. «Allora, che ne dici?»

«Certo» mi sono affrettato a rispondere, non volevo pensasse che tentavo di evitarla.

Mi sono fatto una doccia e sono crollato. Mi sono svegliato con un profumo di pane nelle narici.

Quando sono entrato in cucina, Alice aveva preparato tutto con cura e attenzione, il cibo non solo era appetitoso, era anche gradevole alla vista.

Parlavamo di altro, non di noi, come se ci fosse un tacito accordo. Non sapevo se la donna di fronte a me fosse mia moglie o la mia ex. Eravamo in un limbo.

Le ho raccontato alcuni aneddoti del viaggio, soprattutto dei biscotti di Nicola. Alice rideva: «Quanto avrei voluto essere lì» ha detto. «Fai morir dal ridere quando ti lasci andare.» È seguito un silenzio che nessuno di noi ha sentito il bisogno di riempire.

Poi d'istinto mi sono uscite delle parole: «Durante questi giorni credo di aver capito molte cose».

Alice ha fatto un mezzo sorriso. «Anch'io.»

Il mio telefono è squillato, sono rimasto a guardarla senza muovermi, lei ha allungato una mano per vedere il display. «È Nicola.»

Ho preso il telefono dalle sue mani. «Sì?»

Poi la mia faccia deve essersi rotta in mille pezzi, perché Alice si è alzata ed è venuta verso di me come se stessi crollando e lei dovesse tenermi insieme.

43

Mio padre l'ho amato da subito, era il mio gigante buono.

Un giorno da bambino gli ho chiesto di volare per me, mi ha risposto che non sapeva farlo. Ero convinto che si sbagliasse.

Nella vita poi ha preferito camminare lento, forse era il passo più adatto al suo sguardo triste, ai suoi occhi buoni, ai suoi silenzi.

Era fatto di silenzi che non sono mai riuscito a interpretare, mio padre era le cose che non diceva.

Mi sono chiesto più volte cosa non si fosse perdonato. Si è tenuto tutto dentro, il dolore, la vita, le parole che volevo sentire.

La cosa di lui che ho amato di più è la dolcezza che teneva nascosta: quando sorrideva si squarciava il cielo, come un arcobaleno dopo la pioggia, e subito arrivava il pudore.

Ora non c'era più, se n'era andato, portandosi via le risposte e le parole che non mi aveva detto, lasciandomi solo il suo silenzio. Per non essere dimenticato.

44

Mi sono svegliato prima degli altri, come sempre. Ho bevuto un bicchiere d'acqua e mi sono fatto un caffè. Poi ho apparecchiato e preparato la colazione per tutti. Ho tagliato della frutta, delle fette di pane da tostare e mangiare con la marmellata, una spremuta d'arancia.

Quando si sono alzati, ho preparato il latte per Tommaso e un altro caffè con la moka per me e Alice.

La sera spesso, invece di guardare la televisione, giocavamo a carte. Tommaso mi aveva insegnato Uno, era divertente e ridevamo molto. Quest'anno Tommaso va in prima media ed è cresciuto all'improvviso, senza che nemmeno io e Alice ce ne accorgessimo.

Ero così di buon umore che mentre ero sotto la doccia ho fatto una cosa che per qualche strana ragione mi diverte: ho messo le mani a coppa e quando si sono riempite le ho aperte per sentire lo splash dell'acqua che si schianta a terra.

Prima di uscire di casa ho dato un bacio ad Alice, guardandola negli occhi.

Dopo la morte di mio padre, ci siamo detti tutto quello che abbiamo tenuto dentro per anni. È stata dura, come un addestramento dei marines, però ho sentito che da lì siamo ripartiti davvero, in un modo nuovo, inimmaginabile prima.

Ho ricominciato a tenermela vicina e a darle mille baci sulle guance, sul naso, sulla fronte, sulla bocca e sul collo.

Quando Tommaso ci vede, cerca di dividerci subito. Lo imbarazza.

Per andare al lavoro, invece della Vespa, ho preso la spider.

Era una bella giornata di settembre, il mio mese preferito. Per me è il vero inizio dell'anno, pieno di buoni propositi. È a settembre che mi dico: «Quest'anno è l'anno che vado in palestra», anche se poi continuo solo a giocare a tennis.

Ho allungato il tragitto, il cielo era azzurro, l'aria fresca, le persone avevano ancora qualche accenno di abbronzatura.

Giravo per Milano con la vecchia auto di mio padre e tutto appariva ai miei occhi come se lo vedessi per la prima volta, come se per anni fossi stato chiuso da qualche parte e ora, di nuovo, avessi la possibilità di uscire.

A un certo punto dal telefono è partito *Il mondo* di Jimmy Fontana, la canzone che ascoltava sempre mio padre quando ero piccolo. Ho iniziato a cantarla, mi sono voltato verso il sedile del passeggero e l'ho visto.

Era lì con me, e non era quello degli ultimi giorni, perché è così che spesso lo ricordo, era quello che mi portava in giro la domenica e che mangiava la banana split.

Mio padre guardava avanti, l'aria gli scompigliava i capelli. Teneva un braccio fuori dal finestrino e con la mano giocava con l'aria. Poi mi ha guardato, mi ha sorriso e ha attaccato a cantare con me.

Io tenevo gli occhi sulla strada, ho sentito un calore sulla spalla e ho avuto la sensazione che mi ci avesse appoggiato la mano. Non mi interessava capire se fossi io, se fosse suggestione, se fosse un raggio di sole. Mi sono fidato solo della mia emozione. Mio padre era lì con me, lo sentivo.

Mondadori Libri S.p.A.

Questo volume è stato stampato
presso ELCOGRAF S.p.A.
Stabilimento - Cles (TN)

Stampato in Italia - Printed in Italy